DEBOUT LA
VIE

2020, rue University,
20ᵉ étage, bureau 2000
Montréal (Québec) H3A 2A5

Éditeur: Claude Leclerc
Directrice des éditions: Annie Tonneau
Révision: Pierre Phaneuf
Infographie: Laurent Trudel
et Sophie Cloutier, SÉRIFSANSÉRIF
Couverture: France Lemire
Photos de la couverture: Daniel Auclair
Photos intérieures: collection personnelle

Nous reconnaissons l'aide financière du
gouvernement du Canada par l'entremise du
Programme d'aide au développement de l'industrie de
l'édition (PADIÉ) pour nos activités d'édition.

MICHEL JASMIN

DEBOUT LA
VIE

TVA
éditions

Distribution pour le Canada :
Agence de distribution populaire
1261 A, rue Shearer
Montréal (Québec) H3K 3G4
Téléphone: (514) 523-1182
Télécopieur: (514) 939-0705

Distribution pour la France et la Belgique :
Diffusion Casteilla
10, rue Léon-Foucault
78184 Saint-Quentin-en-Yvelines Cedex
Téléphone: (1) 30 14 19 30

Distribution pour la Suisse :
Diffusion Transat S.A.
Case postale 1210
4 ter, route des Jeunes
1211 Genève 26
Téléphone: 022 / 342 77 40
Télécopieur: 022 / 343 4646

À mon père,
qui m'a enseigné la ténacité et le
courage.

À ma mère,
qui m'a enseigné les chemins de
l'amour.

M. J.

Avant-propos

Dans ce récit au quotidien, j'ai voulu relater les événements qui ont eu une importance dans ma vie. Vous allez probablement y croiser des gens familiers et en découvrir d'autres. Peu importent les conséquences de leur présence, je persiste à croire que nous sommes tous obligés d'assumer la portée de nos gestes et de nos paroles.

Il y a sûrement des gens importants dont j'ai oublié de parler. Qu'on me pardonne: dix-neuf anesthésies générales en quatorze ans ont eu un effet sur ma mémoire... Cependant, le but premier de ce livre n'est pas de régler des comptes. Mon objectif principal fut, et est encore, de transporter l'espoir à bout de bras et de le porter le plus loin possible.

M. J.

Chapitre 1

LA TROP BELLE VIE

Ce soir-là, seul dans ma chambre, j'attends. Depuis nombre d'années, je me fais un devoir de rester éveillé à l'arrivée de quatre journées particulières à mes yeux: le jour de Noël, le jour de l'An, le jour de mon accident et le jour de mon anniversaire de naissance.

J'habitais alors un petit hôtel au 50, rue Des Maturins; un endroit typiquement parisien d'une vingtaine de chambres, bien tenu, et situé tout près du célèbre théâtre de quartier, le théâtre Des Maturins. Pour contrer le décalage horaire, j'étais allé y voir une pièce légère mettant en vedette Darry Cowl, un comique français de la veine des Louis De Funès et compagnie. Cette soirée restera longtemps gravée dans ma mémoire puisque, comme je le pressentais, je me suis endormi durant la représentation. Rien de surprenant après un vol Montréal-Paris, sauf que j'ai commencé à ronfler terriblement fort et, comme j'étais assis dans une loge tout près de la scène, Darry Cowl, en plein milieu de sa performance, m'a interpellé:

— Mais vous avez fini de ronfler! Non mais quand même...

Heureusement, le théâtre, qui pouvait contenir une centaine de personnes, ne comptait qu'une trentaine de spectateurs ce soir-là.

J'étais à Paris, en devoir pour mon employeur, la station de radio CJMS, où je travaille depuis mes débuts en radio, exception faite de trois mois passés à CKJL, à Saint-Jérôme. Depuis peu, j'occupais les fonctions de directeur de la programmation, et ce travail m'avait conduit à couvrir le spectacle de Robert Charlebois à l'Olympia. C'était en quelque sorte le retour de Charlebois sur les planches parisiennes, sa première prestation depuis ce spectacle où il avait fait la une en lançant sa batterie dans le public, quelques années auparavant. Le retour de l'enfant terrible québécois faisait donc figure d'événement majeur dans le monde artistique.

Par ma fenêtre, dont les volets sont ouverts, j'entends le bourdonnement de la Ville lumière; une ville que je visite pour la première fois et où je me sens bien — à preuve, depuis, j'ai visité Paris exactement trente fois. J'entends les klaxons des voitures, j'entends les gens dans la rue où ça bouge beaucoup, bien que nous soyons un lundi soir. Juste en face de mon hôtel, il y a une terrasse très fréquentée et, à l'intersection voisine, un bar-tabac très apprécié des Parisiens. Tout à coup, à travers ces sons qui plaisent à mes oreilles, je distingue le carillon d'une horloge de quartier. Je jette un regard attentif au réveil sur la table de chevet; c'est bien le coup de minuit. Nous sommes le 13 août 1973. Je peux maintenant fermer les yeux sur les premières minutes du jour de mes vingt-huit ans.

Le lendemain matin, lorsque j'apparais dans le lobby, je ne suis pas surpris d'entendre M. Boutrou, le propriétaire de l'hôtel, me dire que je n'ai reçu aucun message. Bien sûr, mes parents savaient que j'étais en Europe, mais, puisqu'on pouvait souvent être plusieurs semaines sans se donner signe de vie, je savais qu'ils n'allaient pas m'appeler, même si c'était mon anniversaire. D'ailleurs, lorsque je grandissais dans le village — on l'appelait comme ça à l'époque — de Ville Saint-Laurent, nous n'avons jamais souligné nos anniversaires ou très peu. Ni ma soeur aînée, ni mes deux soeurs cadettes, ni moi n'avons de souvenirs particuliers rattachés à nos anniversaires de naissance. Et, à bien y penser, c'est certainement ce qui explique que mon anniversaire soit maintenant une journée importante pour moi, bien que je n'accorde aucune importance à mon âge comme tel.

Ce matin, je dois retrouver Diane Dufresne dans le hall d'entrée de l'Olympia. Assise sur les marches de la prestigieuse salle, la jeune chanteuse m'accorde une entrevue concernant son spectacle à venir. Le tout se déroule rapidement, puisque j'ai rendez-vous avec Florence Aboulker, la gérante de Patrick Juvet, à midi au Bar Romain, à deux pas de l'Olympia. Cette rencontre était organisée par Patrick, dont j'avais fait la connaissance quelques semaines plus tôt à Montréal. Il était venu y faire une tournée de promotion. Depuis, nous avions gardé le contact et, à son départ, nous nous étions promis de nous revoir à Paris. Florence, une dame dans la quarantaine, blonde, toute menue et très influente dans le showbiz français, me parle de ses amis, les Bruno Coquatrix, Eddy Barclay et autres, avec qui elle a eu le plaisir de travailler. Puis elle me parle de Patrick:

— Vous savez, Michel, il a été mannequin avant de se lancer dans la chanson... Mais ce n'est pas qu'un beau garçon... Comme ça m'amuse lorsque les gens pensent qu'il est français alors qu'il a vu le jour en Suisse... disait-elle comme une mère parlant avec fierté et tendresse de son fils.

Après notre rencontre, des plus amicales, j'ai sauté dans un taxi: j'avais hâte de découvrir la célèbre avenue des Champs-Élysées. Le chauffeur m'a déposé face à un imposant concessionnaire de voitures Renaud. Il y a une magie à se retrouver sur ces grands boulevards connus partout dans le monde. Un sentiment semblable m'avait habité, quelques jours plus tôt, quand la tour Eiffel s'était dressée devant mes yeux ou lorsque j'avais marché sous l'arc de triomphe, qui m'avait impressionné par son ampleur, sa beauté et toute la majesté qu'il inspire. Je marchais donc sur cette célèbre avenue, tout en fredonnant *Les Champs-Élysées*, de Joe Dassin. Histoire de faire durer le plaisir, je me suis arrêté à la terrasse Aux Fouquet's, charmé par les lieux. J'ai demandé au serveur une coupe de vin, et, soudainement, j'ai été secoué par le poids immense de la solitude qui m'a envahi. Seul, j'ai levé mon verre pour saluer mon anniversaire. Pour la première fois, je faisais face à la solitude, la vraie, une inconnue jusqu'alors pour moi.

À cette époque de ma vie, "solitude" est un mot qui ne fait pas partie de mon vocabulaire. Je vis à un rythme fou. La belle vie; c'est tout ce qui compte. Au sein de la gang qui m'entoure à Montréal, je suis reconnu pour être le gars *flyé*. Très *flyé*. Je suis un être totalement désorganisé ne cherchant aucunement à se structurer. Je vis ainsi. Je me plais ainsi. Par le seul exemple qui me vient à l'esprit, vous comprendrez tout de suite ce que je veux dire: en l'espace d'un an et demi, je m'étais acheté sept voitures neuves, dont une que je n'avais gardée que quatre jours. Des voitures sport, des grosses bagnoles, des autos qui font même des jaloux... Ai-je besoin de spécifier que je dépensais beaucoup plus que je gagnais? En fait, la vie n'était pour moi qu'une partie de plaisir. Je me devais de goûter à tout, pleinement, totalement, complètement.

Selon moi, le fait d'avoir été élevé dans un milieu familial très strict explique en partie toute cette effervescence qui est apparue dans ma vie lorsque j'ai atteint la vingtaine, découvrant la liberté. Dès ce moment, j'ai ressenti le besoin profond de me prouver et de prouver à mes parents, sans vouloir les narguer toutefois, que je pouvais me débrouiller seul. Jusqu'au point de m'acheter, à l'aube de mes vingt-cinq ans, une maison bien trop imposante pour mes simples besoins.

En entrant à mon hôtel, j'ai causé avec M. et Mme Boutrou. Je me suis aussi amusé avec leur chien, un dalmatien à l'allure de doberman. Il flânait toujours dans le lobby, et souvent je m'allongeais sur la moquette pour jouer avec lui, même si, une demi-heure plus tard, j'étais victime d'allergies épouvantables. Vers 18 h, le téléphone sonne à la conciergerie, et Mme Boutrou s'écrie:

— C'est pour vous, monsieur Jasmin!

Surpris et intrigué, je prends l'appareil et j'entends:

— Michel, tu es là? Michel, c'est Patrick! Je me demandais si l'on pouvait se voir ce soir...

Ne sachant trop quoi dire, je lui confie que j'ai un peu les bleus, bien qu'il ait peine à comprendre la signification de cette expression typiquement québécoise, qu'il allait d'ailleurs chanter quelques années plus tard: *Les Bleus au coeur*. Puis, pour la première fois de la journée, je dis à quelqu'un que c'est mon anniversaire. Il n'en fallait pas plus pour qu'il insiste et qu'il élabore un plan emballant pour la soirée.

— Je passe te prendre à ton hôtel après le dîner, me dit-il en guise de conclusion.

Son invitation est loin de me déplaire.

Au café d'en face, je mange mon éternel steak frites, en bavardant avec les proprios. Après le repas, je prends une douche, j'enfile un pantalon fraîchement pressé et une belle chemise, et j'attends. 21 h, 22 h, 23 h, 23 h 30, toujours pas de nouvelles de Patrick. Ma déception est grande, et, en même temps, comme à chaque fois que l'on me pose un lapin de la sorte, j'espère seulement qu'il n'a pas eu d'accident. À minuit, étouffant dans ma chambre, je sors de l'hôtel pour prendre une longue marche. Sur le chemin du retour, alors que je me trouve à un peu moins d'un pâté de maisons de l'hôtel, j'aperçois Patrick devant l'entrée dans sa petite Mercedes sport. Sans hésiter, je vais au devant de lui. Il m'aperçoit. Je lui dis que je l'attendais plus tôt et que finalement ce n'est plus mon anniversaire. Il me répond, tout fringant:

— Ça ne fait rien. Les bonnes choses n'arrivent jamais en retard.

J'ai gardé cette phrase en mémoire et j'aime l'utiliser quand la conversation s'y prête. Tout comme je garde un souvenir impérissable de la nuit passée à écumer les bars et cabarets du Paris *underground* que je ne connaissais pas. Même si Patrick Juvet n'était pas encore passé à la mode disco avec son super-tube *Où sont les femmes?*, il était néanmoins une idole en France grâce à ses chansonnettes: partout où nous passions, on nous offrait le grand service. J'étais son copain du Canada, et tout nous était permis.

Quelques jours plus tard, Claude Plante, l'agent de promotion de la maison de disques de Charlebois, débarque à Paris. Il loge au même hôtel que moi. Comme le spectacle ne sera présenté que dans quelques jours, on décide de se rendre à Amsterdam, ville libérée nous dit-on. Nous logeons au International Travel Club sur Toussaintstrach. En très peu de temps, nous réalisons que nous avons élu domicile dans le *Red Light*. Ça grouille toute la nuit. On entend crier les prostitués, hommes et femmes, les souteneurs et les clients. Quand nous arpentons la rue, les demoiselles nous offrent d'ailleurs leurs services mais, n'étant pas particulièrement intéressés, nous répondons l'unique mot allemand que nous connaissons: *Nein!* En peu de temps — pardonnez-moi l'expression —, on en a jusque-là du cul et des sex-shops, si bien que, passant devant un comptoir d'Air France, on prend un billet de retour pour Paris, où je retrouve avec joie M. et Mme Boutrou.

Le temps passe vite à Paris. Je m'éclate à fond, la Ville lumière m'excite au maximum. Finalement, à la mi-septembre, Charlebois fait son entrée à l'Olympia. Avant le spectacle, j'avais obtenu une entrevue qui avait été diffusée en direct à Montréal. Du spectacle, je me souviens qu'il avait interprété la chanson *Ordinaire*, vêtu d'une queue de pie en denim. Je me rappelle aussi un autre numéro spécial où son piano semblait suspendu entre ciel et terre, au grand étonnement des spectateurs. Le lanceur de *drums*, comme on l'avait surnommé, fit sensation. En principe, je devais revenir à Montréal après ce spectacle mais, comme j'étais seul maître de mes allées et venues, sans égards pour mes patrons, j'ai décidé d'étirer mon séjour. Il ne restait plus que trois semaines avant le spectacle de mon amie Diane Dufresne, qui allait faire la première partie de Julien Clerc. À tort ou à raison, j'y vis là aussi l'occasion d'un reportage-radio.

Même si j'avais un travail et des obligations qui m'attendaient à Montréal, tout ça devenait secondaire. Un coup de fil à mes patrons suffisait pour me libérer l'esprit et vivre à nouveau à la parisienne; d'ailleurs, ils en avaient vu d'autres. L'année précédente, j'étais parti en vacances pour quinze jours au cours desquels je comptais visiter la côte Atlantique des États-Unis. Finalement, mon séjour s'était étiré sur deux mois et demi. Chaque semaine, j'appelais — une fois de Virginie, une autre de Caroline du Sud, puis de Key-West, etc. — en disant:

— Je prends une semaine de plus.

Je leur avais fait le même coup à l'occasion de mon voyage à Hawaï, en 1970. Encore aujourd'hui, j'ai de la difficulté à m'expliquer leur compréhension. Chose certaine, ils faisaient preuve d'une patience exceptionnelle face à mes décisions cavalières. Quant à moi — enfin, lorsque je m'arrêtais à y penser —, je me disais que j'avais fait des travaux pour lesquels j'avais été payé maigrement et que cette compréhension de leur part était en quelque sorte une forme de compensation qui m'était due. Par exemple, je me souviens d'un documentaire d'une durée de vingt-huit heures, intitulé *L'Historique du rock*, que j'avais enregistré pour la radio et dont j'avais fait la recherche, les textes, l'animation et la mise en ondes pour un très noble 100 $. Je me disais également que chaque jour passé à Paris faisait partie de mon emploi. Tout en fréquentant Patrick Juvet, je rencontrais de gens connus tels qu'Isabelle Aubray, Hervé Villard, Nana Mouskouri, le clan Halliday, Michel Fuguain et la famille Marouani, très influente dans le showbiz français. Pour être honnête, ces rencontres satisfaisaient avant tout ma fierté personnelle. Oui, j'ai toujours été un groupie mais, attention, un groupie qui ne ressent pas le besoin d'impressionner quiconque avec le fait qu'il connaissait les stars. Ce qui importait, c'était ma liberté, et, pour moi, ce mot liberté s'épelait: voitures, maison imposante, voyages, fêtes et nuits blanches...

Comment pouvais-je bien me payer tout ça? C'était la question qui courait sur toutes les lèvres et qui contribuait à alimenter ma réputation: celle d'un gars indépendant de fortune et indépendant tout court. Toutefois, cette réputation, je n'en avais rien à foutre. Je n'en avais jamais voulu et je souhaitais vivre ainsi simplement pour mon plaisir, pour mon bonheur et peut-être même pour ma folie. Mon intention n'était surtout pas de jeter de la poudre aux yeux à mon entourage, mais, forcément — à commencer par mes patrons à CJMS —, mon style de vie suscitait l'interrogation. Pourtant, il ne fallait pas chercher bien loin pour trouver la réponse: je projetais simplement une image de moi qui n'était pas la vraie. À part mes parents qui, depuis mon adolescence, avaient été témoins de ce déséquilibre — eux qui me voyaient acheter la plus belle et la plus chère des bicyclettes si j'en voulais une —, jamais personne n'avait osé me raisonner. Au risque de me répéter, je vivais d'une façon totalement démesurée. Ça n'avait aucun sens! Je n'avais pas les moyens de passer deux mois à Paris, tout comme mon voyage à Hawaï, l'année précédente, relevait du miracle. D'autant plus que, dans les îles, j'avais payé pour deux. Comment je faisais? J'étirais et je séduisais. Je réussissais toujours à m'en sortir d'une façon ou d'une autre. De retour à Montréal, je réduisais mes dettes quand un gros contrat se pointait. Ensuite, je repartais à zéro ou presque. Dans les faits, je me payais ce style de vie avec très peu de comptant, beaucoup de charme et un pouvoir de persuasion peu commun. C'était ma façon de procéder.

J'ai connu Diane Dufresne avant qu'elle ne soit reconnue dans le monde du spectacle. Nous avions une amie commune à Ville Saint-Laurent à l'époque où Diane travaillait dans un hôpital du nord de Montréal. Mais c'est plus précisément lorsqu'elle débuta dans la chanson et moi à la radio que nous nous sommes vraiment liés d'amitié. J'ai surtout travaillé avec Diane lorsqu'elle a lancé *J'ai rencontré l'homme de ma vie*. Avant ça, Diane était identifiée à des titres comme *Un jour il viendra mon amour* ou à des thèmes de films, et on ne la voyait jamais autrement que dans ses petites robes noires à la Édith Piaf, les cheveux longs, blonds et droits. Or, au moment où la chanson a été lancée, je produisais avec CJMS *Les Soirées populaires CJMS-Heidelberg*, au cours desquelles, deux fois par semaine, on offrait des spectacles dans les stationnements de centres commerciaux. Pour aider Diane à promouvoir sa chanson, à laquelle je croyais, je l'avais invitée à sept émissions consécutives. En peu de temps, tout avait démarré pour elle. Il était donc tout à fait normal — enfin, dans ma tête — que je reste à Paris pour sa première sur une scène importante. Il était d'ailleurs prestigieux, pour nous Québécois, de savoir notre petite Diane à l'Olympia en première partie de Julien Clerc. À Montréal, on avait donc consacré une heure à Diane sur les ondes au moment du spectacle, et mes différents reportages — avant, pendant et après le show — de même que nos échanges dans la loge entrecoupaient les chansons de cette émission spéciale.

Ainsi, mon séjour en sol français avait duré près de deux mois remplis de mille et une rencontres, de soirées chez de nouveaux amis et d'errances nocturnes avec Patrick et compagnie. Évidemment, à travers tout ça, il y avait eu bien peu d'entrevues. Je suis rentré à Montréal la deuxième semaine d'octobre.

Dans l'avion, j'étais préoccupé. Non pas que prendre l'avion m'angoissait, puisque j'assumais mon impuissance en m'en remettant totalement au pilote et au personnel de bord. C'était plutôt un sentiment inhabituel que je ressentais. C'était comme si toute ma façon de vivre commençait lentement à me peser. La pensée que ça ne pourrait plus durer m'était insupportable. De plus, je savais fort bien que ce séjour prolongé cachait un plus grand malaise. Dans ma fuite, j'avais peur d'admettre que les responsabilités, ce n'était pas pour moi. D'ailleurs, juste à penser à la somme de travail qui m'attendait à la station, en tant que directeur de la programmation, me faisait vivre des angoisses. De plus, je mentirais en disant que je n'étais pas habité par un terrible sentiment de culpabilité face à mon absence prolongée. Bien que l'on aime vivre sans responsabilités, le temps sait nous rattraper. Le détachement unique que l'on éprouve en voyage allait beaucoup me manquer. Malgré tout, c'est avec plaisir que j'anticipais de retrouver ma gang, ma maison, les studios de radio, mon monde... ma vie anarchique.

— Tous les passagers sont priés de redresser leur fauteuil, d'éteindre leur cigarette, nous amorçons notre descente sur Montréal.

Chapitre 2

L'ACCIDENT

Sur la route conduisant à Saint-Basile-le-Grand — une petite localité située à une quinzaine de kilomètres au sud de Montréal, où je vis depuis plus de deux ans maintenant —, je découvre avec des yeux nouveaux la beauté des paysages environnants. En arrivant sur la rue Principale, je souris en anticipant le bien-être qui nous envahit quand on traverse le seuil de sa demeure après une longue absence. Un sentiment que Ferland traduit si bien quand il chante: "Fais du feu dans la cheminée, je reviens chez nous..." Sauf que, moi, personne ne m'attend à la maison. Et elle est grande, cette maison.

Après avoir vendu ma première demeure à Notre-Dame-de-Monfort, dans les Laurentides, j'ai acheté cette propriété à Saint-Basile. Ce fut le coup de foudre. En fait, c'est l'ancien presbytère du village, situé tout près de l'église. Centenaire et de style Nouvelle-Angleterre, la maison compte une douzaine de pièces réparties sur deux étages. Elle est faite de bois et est peinte en blanc et en noir. Dans le hall d'entrée, on y trouve un superbe foyer de pierres des champs, et dans le grand salon un majestueux escalier. C'était bien entendu une maison beaucoup trop grande pour un célibataire, mais je l'avais achetée avec la ferme intention de la rénover pour ensuite tirer un profit de sa revente. Cependant, les travaux de rénovation entrepris ici et là s'éternisaient pour la simple raison que les portes étaient ouvertes 24 heures sur 24 à l'époque. C'était un hôtel, une auberge, un véritable moulin. Nul doute que le curé du village a certainement connu quelques nuits blanches à se demander ce qui pouvait bien se passer dans ce qui avait déjà été sa douce et paisible demeure.

Chez moi, le bar était évidemment bien garni, et il y avait assez de nourriture pour une armée. Impossible de dire combien on a fait de partys, combien on a cassé de vaisselle, ou encore combien de gens, parfois même des inconnus, ont passé trois, quatre ou même cinq jours sous mon toit. Tout allait trop vite. Avec le recul, j'ai saisi que je m'achetais des amis. Aujourd'hui, je réalise bien que cette générosité cachait ma crainte d'être seul. Toutefois, je tiens à spécifier que, malgré la présence de ces relations superficielles dans ma vie, je n'ai jamais sombré dans les paradis artificiels, qui étaient trop souvent présents dans mon entourage. Je n'ai jamais touché à la drogue. Je n'ai jamais fumé un joint — comme on dit communément — ou encore pris de la cocaïne. Quant à l'alcool, je l'achetais beaucoup plus pour les autres.

À ce propos, je me souviens d'une anecdote amusante. Un soir, j'étais allé danser avec des camarades de travail à l'hôtel Edgewater, à Pointe-Claire. Collette Roger, discothécaire à CJMS mais une grande amie avant tout, était avec nous. D'ailleurs, elle était de tous les partys de l'époque mais, comme moi, elle ne consommait pas. Toujours est-il que, ce soir-là, j'ai décidé tout bonnement de boire de la vodka pure. Ce qui a bien amusé la gang. Après trois verres, j'avais perdu la carte. Plus tard, on m'a raconté que j'avais passé la soirée à réciter des fables de La Fontaine, les histoires du *Petit Chaperon rouge* et des *Trois Petits Cochons*. J'étais terriblement fier de moi... et totalement con.

"Toi, tu es *stone* naturel; tu n'as pas besoin de prendre quelque chose" est une phrase que les copains m'ont souvent répétée à cette époque. Et ils n'avaient pas tort. Ma drogue, c'était la vie, et mon exutoire, hormis la démesure, c'était le sport. Je pratiquais le tennis, la plongée sous-marine et l'équitation. Pendant mes études, j'avais aussi fait beaucoup d'athlétisme; j'avais même réussi à battre le record québécois du saut en longueur. Bref, j'étais ce qu'on appelle un gars en forme.

À mon retour d'Europe, j'ai mis peu de temps à me retremper dans mes habitudes québécoises et, si mon travail pouvait rapidement devenir un poids difficile à porter, je l'accomplissais au meilleur de ma connaissance. Je ne comptais jamais les heures; travailler le soir, le jour ou la nuit n'avait aucune importance pour moi. Si je ne faisais pas la fête, je travaillais et, si je ne travaillais pas, je faisais la fête. C'est précisément cette démesure et mon désir de bien accomplir mon travail qui m'ont conduit, le samedi soir 10 novembre 1973 à CJMS. Plus tôt, cette même journée, j'ai tenté de donner quelques coups de marteau ici et là sur les murs de la maison. J'avais surtout profité du soleil d'un automne prolongé, en compagnie de quelques amis. Mais, comme la maison s'était vidée à l'heure du souper — fait inhabituel, dois-je préciser — et que je tournais en rond, l'image des dossiers qui traînaient encore sur mon bureau à CJMS depuis mon escapade parisienne me vint à l'esprit. Vers 18 h 30, après avoir avalé une bouchée en vitesse sur le comptoir de la cuisine, j'ai sauté dans ma grosse bagnole — une Thunderbird vert bouteille, de l'année, on ne peut plus équipée et qui pesait plus de trois tonnes — et j'ai pris la direction de mon bureau. À cette époque, CJMS était située au palais du Commerce, et j'ai stationné ma voiture en face de la porte d'entrée, rue Berri.

Je suis fin seul à la station, exception faite de l'animateur enfermé dans le petit studio avec ses disques depuis la fin de l'après-midi et de Nina, la téléphoniste. Assis à mon bureau, je complète des documents à l'attention du CRTC, j'écoute de nouveaux disques et j'étudie les résultats des plus récentes cotes d'écoute dans le but de remanier quelque peu la programmation. N'étant pas distrait par le brouhaha qui règne habituellement dans le bureau, j'ai vraiment l'impression d'avancer beaucoup plus dans mon travail. Ainsi, le temps passe, et ce n'est qu'aux environs de 21 h que la sonnerie du téléphone me ramène à la réalité. C'est un ami: Kevin.

— Salut, Michel, me dit-il. On annonce encore une température superbe demain; j'aurais le goût d'aller passer la journée avec toi à Saint-Basile.

— C'est une très bonne idée, lui dis-je avec plaisir.

Comme il n'a pas de voiture, bien qu'il détienne un permis de conduire, je lui demande:

— Comment entends-tu t'organiser?

— Que dirais-tu si j'allais te rejoindre à la station dans l'heure qui suit plutôt que de prendre l'autobus demain matin? me demande-t-il.

Encore une fois, j'acquiesce à sa demande. Kevin

m'explique alors qu'il n'est pas chez lui — il habitait le quartier Notre-Dame-de-Grâce — mais à Saint-Léonard, où il assiste à une noce. J'insiste auprès de lui pour qu'il ne tarde pas trop parce que je considère avoir abattu une somme de travail suffisante pour un samedi soir. Je lui dis que je devrais être dans ma voiture devant l'entrée de la station quand il arrivera.

— Le temps de saluer les gens ici, je saute dans un taxi pour te retrouver, conclut-il.

Une demi-heure plus tard, croyant qu'il ne saurait tarder, je range mes dossiers et me dirige vers la sortie. En passant devant Nina, la téléphoniste, je lui dis:

— Si jamais un anglophone du nom de Kevin me demandait au téléphone — il ne parle pas français — et vous disait qu'il ne vient plus me rejoindre, seriez-vous assez gentille de m'en aviser, puisque je vais l'attendre dans ma voiture, devant l'entrée.

Nina, occupée au téléphone, sourit et me fait signe que oui. Comme Kevin était un gars plein de surprises, je n'avais pas l'intention de passer l'hiver dans mon auto si jamais il décidait de changer ses plans.

Dehors, il fait noir. J'inspire et j'expire à pleins poumons le bon air frais puis je m'assois derrière le volant. J'approche l'appui-tête, je m'étire le cou et je m'assoupis. La circulation étant passablement calme, le sommeil m'envahit. Soudain, le bruit d'une clé frappant sur ma vitre me réveille. J'ouvre légèrement les yeux, le temps de me rendre compte que c'est Kevin. Je déverrouille la portière, je relève l'appui-bras qui partage en deux la banquette avant et je me déplace vers le côté du passager. Comme j'étais passablement endormi, sans même y réfléchir, j'ai tenu pour acquis que Kevin allait conduire. Étant fermement convaincu qu'il doit maintenant être près de

22 h, je me rendors. Ce n'est qu'au moment où nous traversons le pont Jacques-Cartier, une dizaine de minutes plus tard, que je me réveille à nouveau. J'ai vaguement l'impression que la voiture dérape et, sans trop savoir pourquoi, je dis à Kevin:

— Rends-toi au Holiday Inn à Longueuil. Ne prends pas la route, nous allons coucher à l'hôtel.

J'ai la sensation confuse que nous éprouvons des problèmes mécaniques puisque la voiture dérape alors que la chaussée est tout ce qu'il y a de plus sèche. Kevin me répond:

— Non, non, je suis capable de me rendre. Dors.

Je replonge donc dans mon sommeil. À la sortie Sud du pont, il prend la direction du boulevard Taschereau. Un peu plus loin, au moment d'emprunter la route 9 — aujourd'hui la 116 —, Kevin me réveille, cette fois en me tapant sur l'épaule:

— Michel, peux-tu régler le *cruise control*? Je ne sais pas comment.

Je m'étire un bras et place machinalement le régulateur de vitesse à 63 m/h après quoi je me rendors pour une troisième fois. En approchant du viaduc à la jonction de la route 30, quelques minutes plus tard, je sens très nettement la voiture déraper à nouveau. Cette fois, non seulement glisse-t-elle sur la chaussée mais elle se soulève de terre d'un seul coup. Les yeux ouverts grands comme des billes, je tente de mettre la main sur le volant, mais il est déjà trop tard: Kevin n'a plus le contrôle, il est complètement figé. La voiture oblique vers la gauche, saute par-dessus un rempart de ciment d'une hauteur de près d'un mètre et touche terre sur l'accotement en sens inverse. Tous les muscles de mon corps sont tendus, une main agrippée à l'appui-bras de la portière, l'autre soudée au tableau de bord. Le dérapage semble du-

rer une éternité. Puis nous faisons trois tonneaux, et
un grand vide apparaît devant nous. À ce moment
précis, nous piquons littéralement du nez. Notre chute nous conduit sur la route 30, vingt-deux pieds plus
bas. Étrangement, l'auto atterrit sur ses quatre roues
et, sans que nous ayons le temps de réagir, elle re-
bondit comme un ballon. Après avoir essuyé de nombreux coups à gauche, à droite, vers le haut, vers le
bas, sur le côté, nous nous sommes enfin immobili-
sés. Bien entendu, je n'étais pas attaché. Je me demande même si les Thunderbird 1973 étaient équi-
pées de ceintures de sécurité? Le coffre arrière est
dans le fossé, alors que la partie avant de l'auto est
aux abords de la route. Toutes les vitres ont volé en
éclats, sauf le pare-brise. En moins de deux, Kevin
est sorti de la voiture et a commencé à crier, hystéri-
que:

— Look what I did to your car. It's terrible! Look
what I did to your car!

C'est à ce moment que mon regard s'arrête sur
l'horloge du tableau de bord: elle indique trois heures moins quelques minutes. Je jette aussitôt un coup
d'oeil à ma montre: elle indique aussi près de trois
heures du matin. Malgré mon état de choc, je réalise
alors que nous sommes au milieu de la nuit et que
Kevin, qui gesticule à outrance tout en courant autour de la voiture, est totalement ivre. Quand il avait
cogné à la vitre de ma voiture, il y avait en réalité
plus de quatre heures que je dormais et, tout ce
temps, Kevin était demeuré à la noce et avait bu.
Compte tenu de son état et aussi de l'heure tardive, il
était probablement passé à la station seulement pour
voir si j'y étais toujours. Ou peut-être avait-il simplement perdu la notion du temps; je ne le saurai jamais. Peu importe, les faits sont que, inconsciem-

ment, j'ai donné mes clés à une personne en état d'ébriété avancée pour me conduire à la maison. Et ma vie n'allait plus jamais être la même.

Pas une goutte de sang n'a coulé ce soir-là. Comme c'est souvent le cas à l'occasion d'un accident impliquant une personne ayant consommé de l'alcool, Kevin n'a pas été blessé, exception faite d'une légère ecchymose sous l'oeil droit. Quant à moi, je n'avais aucune blessure externe. Sauf que... C'est dans les secondes où la voiture est tombée du viaduc que tout s'est joué. Quand l'auto a heurté le sol sur ses quatre roues, elle s'est immédiatement soulevée sous la force de l'impact. Moi, la tête et le cou pressés contre le plafond, j'étais sur le point de m'écraser sur la banquette mais l'auto s'étant posé sur le sol en premier pour ensuite rebondir, c'est donc la banquette qui m'a rejoint à mi-chemin avant même que je ne termine ma chute. L'impact a été atroce et surtout, fatidique. Cependant, à aucun moment je n'ai perdu conscience. Alors que je réalisais la gravité de la situation, des brûlures intenses ont commencé à m'envahir le dos. C'était comme si on me passait une torche allumée sur la peau: la douleur me pénétrait jusqu'à la moelle des os. J'ai mis peu de temps à réaliser que mes jambes ne répondaient plus. J'avais beau les frapper avec mes mains; je ne ressentais plus rien, elles bougeaient, mais je n'en avais plus le contrôle. C'était comme si elles ne m'appartenaient plus. Pour la première fois de ma vie, j'étais assis, immobile.

Prisonnier de la voiture, la peur qu'elle explose me hantait. Je ne pouvais pas me retourner, je ne voyais pas ce qui se passait sur la route mais j'entendais des voix. J'ai su par la suite que Kevin était remonté sur la route 9 pour essayer d'arrêter une voiture, puisque aucune ne passait sur la 30, où nous nous étions écrasés. Les premières personnes à arriver sur les lieux de l'accident ont tenté en vain d'ouvrir la portière du côté du passager. Elle était coincée. Kevin avait bien réussi à ouvrir celle du côté conducteur après le dernier impact, mais la position du volant m'empêchait de passer. La police, les pompiers et les ambulanciers ont mis une dizaine de minutes à arriver. Quand tout ce monde a réalisé qu'il faudrait d'extrêmes précautions pour me dégager à cause de mon état, on a décidé d'utiliser des torches à acétylène pour sectionner la portière du côté du passager. Toutefois, on a mis de longues minutes avant d'allumer les torches parce que les pompiers devaient avant tout s'assurer que le réservoir d'essence était bien vide et que son contenu ne s'était pas déversé à proximité de la voiture. Après plusieurs vérifications, les seules traces d'essence visibles se trouvant sur le viaduc — plus haut —, on en a conclu que le réservoir s'était déchiré au cours de notre embardée par-dessus le rempart de ciment. On a mis près de quarante-cinq minutes à me sortir du véhicule. Durant les opérations, policiers, pompiers et ambulanciers venaient me rassurer à tour de rôle. Malgré leurs bonnes intentions, ces paroles avaient peu de poids face à la pensée qui m'obsédait. Je ne savais pourquoi mais j'avais la certitude que je venais de subir une facture de la colonne vertébrale. L'insensibilité de mes pieds et de mes jambes me confirmait que le courant ne passait plus et qu'il y avait fracture. Après m'avoir sorti de l'amas de ferraille qu'était devenue ma voiture, on m'a étendu sur une civière puis immobilisé. Je me souviendrai toujours de l'homme qui est monté avec moi dans l'ambulance. Il avait un peu moins de quarante ans et il portait une veste de cuir noir, un petit foulard autour du cou et une tuque du Canadien sur la tête. Je n'ai jamais su qui il était, mais il m'a accompagné jusqu'à l'hôpital en me répétant sans arrêt:

— Tu vas voir, mon gars, ce n'est rien. Tu seras bientôt de retour chez toi. Ne t'inquiète pas.

Même si j'avais la conviction que ce qui venait de se passer était grave, très grave, la bonté et la chaleur humaine que cet inconnu a manifestées à mon égard resteront à jamais gravées dans ma mémoire. Bien sûr, je ne mesurais pas encore la pleine gravité et toutes les conséquences qu'entraîneraient mes blessures. D'ailleurs, en route vers l'hôpital Charles-Lemoyne, j'ai pensé aux fêtes qui approchaient et, tout déterminé que j'étais, j'ai cru que je serais entièrement rétabli pour Noël.

Dès mon entrée à l'hôpital, on m'a transporté dans un petit cabinet privé adjacent à la salle d'attente de l'urgence. Les douleurs étaient de plus en plus intenses. Pendant que les ambulanciers procédaient aux démarches d'admission — ce qui fut fait rapidement —, j'ai pu apercevoir trois ou quatre personnes qui attendaient dans la salle de l'urgence et, en tournant les yeux un peu plus loin, j'ai regardé deux fauteuils en particulier: deux fauteuils situés dans un coin de la pièce, sur lesquels je m'étais assis, trois ou quatre semaines plus tôt, avec Jacques Dufresne. Jacques est celui qui m'a sorti de la salle des nouvelles de CJMS pour m'amener à l'animation. Il a été pour moi un père spirituel, un guide, un soutien moral, un exemple jusqu'à sa mort. Pour tout dire, si j'exerce le métier d'animateur, c'est grâce à lui. Comme la vie fait curieusement les choses, dans les derniers jours du mois d'octobre précédent, Jacques avait eu un accident de voiture mineur. Lorsqu'il avait appelé sa femme, Raymonde, pour la prévenir, j'étais chez lui et, dès qu'elle m'avait fait part de la nouvelle, je m'étais rendu sur les lieux de l'accident. Bien qu'il ait été légèrement blessé, Jacques ne voulait pas monter dans une ambulance, et c'est moi qui l'avais conduit à l'urgence de cet hôpital, où je me retrouvais maintenant. Je nous revoyais clairement, Jacques et moi, assis dans ces deux fauteuils que je fixais. Je me voyais en train de lui éponger le front et de lui retirer des éclats de verres des cheveux en attendant qu'un médecin puisse nous recevoir. Soudainement, plus rien. Pas même un étourdissement, aucun avertissement, simplement le noir total.

Je suis demeuré dans un coma profond pendant plusieurs jours. Selon le dossier médical, mon inertie s'est étendue sur cinq jours, et c'est en avant-midi que j'ai repris mes sens. À mon réveil, j'ai à nouveau revu Jacques, mais cette fois il était bien là, en chair et en os. Il était assis à côté de moi et il me tenait le bras en disant:

— C'est pas grave, on s'occupe de toi. Ce n'est pas grave Michel...

Ses mots, sa présence étaient rassurants. Dès que j'ai ouvert les yeux, il a demandé au personnel infirmier d'appeler ma mère.

Au cours des années qui ont suivi, Jacques a été parmi les rares personnes qui ont cru peut-être pas que je m'en sortirais, mais que je pourrais à tout le moins tirer le maximum de ce qui restait. "Tirer le maximum, Michel" sont d'ailleurs des mots que ce cher Jacques m'a souvent répétés.

J'étais étendu sur un lit d'hôpital. Les barrières latérales étaient remontées. Il y avait des bouteilles suspendues tout autour du lit, et chacune d'elles était reliée à mes bras. Elles étaient si nombreuses que j'avais l'impression de ne vivre que grâce à elles. Sans perdre un instant, Nicole Robitaille, l'infirmière en chef du service, est accourue à mon chevet. Nicole aussi m'a rassuré, comme elle a si bien su le faire au cours des mois qui ont suivi. La bonne nouvelle de mon retour à la vie s'est répandue si vite que, en soirée, ma chambre, déjà transformée en véritable jardin botanique, était bondée de visiteurs. Une trentaine de personnes m'ont rendu visite — la gang était là, des camarades de travail et quelques parents — si bien que, épuisé, je suis retombé dans le coma durant la nuit.

Le coma, c'est indescriptible, sinon de dire que c'est un grand trou noir. En fait, la seule définition que je peux trouver pour décrire cet état, c'est qu'il s'agit de rien d'autre qu'un espace-temps perdu dans une vie. Ce sont des jours où le corps existe, sans plus. Je n'ai aucune notion de ce que ces journées ont été. Sauf à partir du moment où, tout à coup, une lueur m'est apparue. Encore une fois, j'étais resté inanimé, je crois, près d'une semaine. Cette fois, mon retour à la vie a été plus difficile. J'ai mis plusieurs heures avant de recouvrer la vue. Je sentais bien que des personnes s'affairaient autour de moi mais je ne pouvais pas les distinguer, encore moins les identifier. De toute évidence, je revenais de loin. D'ailleurs, j'ai su beaucoup plus tard que, au cours des deux périodes passées dans le coma, j'ai failli perdre la vie à quelques reprises tellement mes signes vitaux étaient devenus faibles par moments. Quand j'ai enfin repris mes sens, j'ai constaté que je n'étais plus dans le même lit. J'étais étendu sur un lit Circo: une sorte de planche très étroite bordée, de chaque côté, par deux grands cerceaux métalliques. Ainsi, chaque fois que fonctionnait le moteur de cet appareil médical, après que les infirmiers avaient pris soin de me coincer très solidement en apposant une seconde planche sur moi, je passais par la verticale pour me retrouver sur le ventre plutôt que sur le dos; et vice versa, une fois par heure. J'étais maintenant immobile depuis plusieurs jours, et ce changement de position permettait une meilleure circulation sanguine et prévenait également la formation de plaies de lit ou de plaies de pression. Étonnamment, je n'ai jamais été mis sous traction et, sans vouloir blâmer la médecine, j'ai toujours cru que, si on l'avait fait dès mon arrivée à l'hôpital, les dégâts auraient peut-être été plus limités. Enfin, les médecins ont agi au meilleur de leur connaissance, j'en suis convaincu.

Au moment de ce deuxième retour à la vie, j'ai été accueilli par ma mère et par Kevin. Bien sûr, ma mère était très éprouvée. Elle, qui avait été marquée ce jour où ma soeur avait failli perdre la vie quand sa robe avait pris feu subitement près du poêle de la maison familiale, veillait maintenant sur son fils. Quant à Kevin, il était silencieux. Kevin est venu me voir tous les jours durant ma longue hospitalisation. Je ne sais pas si c'était la culpabilité qui le conduisait à mon chevet ou si ses visites quotidiennes lui permettaient d'exorciser cette triste nuit de son système, mais il était toujours là.

Même pendant les grosses tempêtes d'hiver.
Même au cours des plus belles journées d'été.

Chapitre 3

LA DESCENTE AUX ENFERS

Au cours des semaines qui ont suivi l'accident, j'ai rapidement perdu intérêt pour tout. Croyant que j'accepterais de me nourrir, ma mère m'apportait des mets qu'elle cuisinait à la maison parce que je ne mangeais pas la nourriture de l'hôpital. Mais c'était peine perdue: manger me semblait superflu. Si bien qu'un jour, après la pesée hebdomadaire, on constata que le grand jeune homme de vingt-huit ans qui mesurait 6 pi 1 po ne pesait plus que 120 lb. La peau et les os. Ce fut le début de la descente aux enfers.

À ce jour, on m'avait opéré à quelques reprises, et certaines des interventions avaient eu pour but d'insérer des drains dans la colonne vertébrale. Avec ces drains, les médecins espéraient freiner une infection de la moelle, qui progressait rapidement et qui devenait très alarmante. C'est d'ailleurs afin d'éviter tout risque d'infection que les personnes qui entraient dans ma chambre devaient porter un vêtement aseptisé. De plus, afin de prévenir tout mouvement brusque de ma colonne — parce qu'on avait procédé à des greffes osseuses le long des vertèbres éclatées et qu'on avait mis en place des tiges d'Harington de chaque côté de la colonne —, je portais un imposant corset d'acier, qui immobilisait la partie supérieure de mon corps. Je suis demeuré dans le lit Circo un peu plus d'un mois. Durant toute cette période, je n'ai vu que le plancher ou le plafond de ma chambre, selon ma position. Ma porte était continuellement fermée, et je passais des journées entières à analyser les dessins que formaient les tuiles rouge et verte sur le plancher ou à compter le nombre de perforations dans les tuiles acoustiques du plafond.

Un jour, un photographe sans scrupules a réussi à se faufiler jusqu'à ma chambre et à prendre un cliché de moi dans le lit Circo avant de s'enfuir. La semaine suivante, ma mère fut si bouleversée de voir cette photo en première page d'un journal que, à partir de ce moment, elle se fit un devoir de garder ma porte comme une véritable louve. Bien sûr, je ne voulais pas qu'on me voie dans cet état, et cette violation de mon intimité m'a profondément choqué. En même temps, j'étais tellement décroché du quotidien que j'ai vite oublié l'incident. Il m'est très difficile de vous livrer ces souvenirs lointains, et surtout bien imprécis, parce que rien n'avait d'importance à ce moment de ma vie. Jusqu'à aujourd'hui, je n'avais jamais ressassé ces pénibles souvenirs. Pourquoi? Parce que, bien que ces moments aient fait de moi l'homme que je suis maintenant, j'ai peu de désir de les revivre. Ne serait-ce qu'en pensée. Et se confier de la sorte, c'est aussi sentir, ressentir. Sentir l'odeur de certains médicaments, l'odeur d'une chambre d'hôpital. Ressentir l'ampleur de la douleur physique et, plus pénible encore, ressentir toute la douleur morale qui m'a rapidement conduit à la déchéance.

Au début du mois de décembre — je ne sais plus quelle heure ou quel jour c'était —, alors que je faisais face au plancher, la tête retenue à trois pieds du sol par une sangle de cuir qui traversait mon front, je regardais les pieds de ma mère. Elle parlait avec mon amie Colette, assise un peu plus loin dans la pièce, tout près de Kevin. Tout à coup, la porte de la chambre s'ouvre. Du coin de l'oeil, j'aperçois quatre ou cinq personnes en uniforme se dirigeant vers moi. L'une d'elles agrippe une chaise de bois au passage et s'assoit droit devant moi. C'est un des médecins qui m'a opéré: le docteur Potvin. Il me dit:

— Il faut qu'on se parle, mon cher monsieur.

Sans même attendre qu'il ait terminé sa phrase, je lui demande:

— Quand vais-je pouvoir sortir?

Il ne répond pas. J'ajoute:

— Est-ce que je vais pouvoir être chez moi pour les Fêtes?

Je pense à mon arbre de Noël, que j'ai l'habitude de faire le 1er décembre. Ni le docteur Potvin ni ses acolytes debout derrière lui ne semblent avoir de réponses à mes questions. Même Nicole Robitaille, mon amie l'infirmière, qui fait partie du groupe, reste silencieuse. Je comprends vite que je vais passer les Fêtes à l'hôpital, et ce non-dit me frappe comme un coup de massue.

— Je vais répondre à toutes tes questions... dit enfin le docteur Potvin.

Par le seul ton de sa voix, il est clair qu'il a opté pour cette solution plutôt que de me déballer le bilan

médical. Je lève mon regard suffisamment pour regarder le docteur Potvin droit dans les yeux et je lui
demande:

— Alors, dites-moi, est-ce que je vais pouvoir
marcher un jour?

Ses yeux se tournent vers ma mère et, dès que
leurs regards se croisent, je la vois d'un coup sec
éclater en sanglots. Puis elle hoche la tête d'un signe
approbateur. Par ce geste, elle ne disait pas au docteur: "Dites-lui qu'il marchera." Elle lui disait plutôt:
"Allez-y, répondez à sa question, dites-lui toute la vérité." Ce que fit le docteur Potvin.

— Non. Tu ne pourras jamais plus marcher parce
que tu as une fracture par compression des vertèbres
dorsales D-10, D-11 et D-12, et des lombaires 1, 2 et
3, accompagnée d'un sectionnement de la moelle
épinière.

"Si je réussissais seulement à bouger mes jambes,
je suis sûr que je pourrais marcher." Voilà la première pensée qui me vient à l'esprit. Je demande donc
au médecin:

— Est-ce qu'un jour je vais pouvoir bouger mes
jambes?

— Non. Plus jamais, répond-il. Les seuls cas où la
médecine peut vraiment se prononcer, c'est lorsqu'il
y a un sectionnement de la moelle. Comme c'est ton
cas, malheureusement. Le verdict est clair. Michel,
c'est la première étape d'acceptation que tu dois
franchir: ta vie ne sera plus jamais la même.

Comme si je n'avais rien entendu de ce qu'il venait de me dire, je lui rétorque spontanément:

— Vous verrez bien, d'ici deux ans je serai debout
devant vous et par mes propres moyens!

Ce fut la fin de notre échange. Le docteur Potvin
s'est levé, a secoué doucement la tête de gauche à

droite, comme s'il était découragé par mes propos.
Était-il découragé? Avait-il pitié? Ou était-il per-
plexe? Je ne le saurai jamais. Ce dont j'étais certain
toutefois, c'est que mes paroles étaient une bravade
plus que n'importe quoi d'autre. Oui, j'avais affronté
la médecine, mais le verdict était tombé, et je ne savais plus ce qui m'attendait. Fort heureusement.

Quand les médecins eurent quitté ma chambre,
j'ai demandé à ma mère qu'elle m'apporte une chaîne et une petite croix. Comme j'ai toujours été
croyant, je fis un pacte avec Lui: je me suis engagé à
porter une croix pour le reste de mes jours parce
qu'avec Son aide je savais que j'allais marcher. Puis
j'ai livré cette pensée à ma mère — ce qui n'a fait
qu'augmenter son désarroi. Puis je n'ai plus voulu
parler à quiconque. J'ai gardé le silence quelques minutes, comme si la médecine venait d'enterrer une
partie de ma vie, puis ma mère, Colette et Kevin sont
partis. Au cours des jours qui ont suivi, j'ai effectivement très peu parlé. Les seuls mots qui sortaient de
ma bouche étaient: "Je vais marcher. Je vais remonter la pente. Je vais marcher." Je n'utilisais jamais les
mots "me battre" parce que je ne savais pas encore
ce qu'ils pouvaient signifier. Sans que je m'en rende
compte, c'est à ce moment précis que s'est engagé le
plus beau combat de ma vie.

À la suite de ma demande, ma mère m'a offert
une chaînette en or, et ma soeur aînée m'a donné la
croix assortie. Avec l'espoir qu'un miracle se produi-
se, j'ai accroché le symbole à mon cou. Quant à ma
mère, qui avait alors cinquante-six ans, elle s'en re-
mettait totalement au verdict des médecins. Bien que
très croyante, elle aussi, elle accordait plus d'importance à ce jugement qu'à ma détermination. Ce qui

ne l'empêchait pas d'être là, à mes côtés, le plus souvent possible. S'étant installés dans les Laurentides après avoir élevé leur famille, mes parents couchaient chez ma soeur Marielle lorsqu'ils descendaient en ville. Celle-ci n'avait pas encore quitté notre Saint-Laurent natale. Ainsi, ma mère pouvait me visiter quelques jours d'affilée. Quant à mon père, il ne s'est présenté que très peu de fois à l'hôpital, probablement à cause de sa très grande sensibilité. À soixante ans — et encore aujourd'hui —, il était un homme peu enclin à se laisser gagner par ses émotions, mais je sais à quel point il a souffert de me savoir dans cet état.

Quand j'ai compris que le contact ne se faisait plus dans ma colonne à partir du milieu du dos jusqu'aux orteils, tout ce qui touche la question sexuelle est devenu pour moi une très grande préoccupation. Cette inquiétude a d'ailleurs été le sujet du premier échange que j'ai eu avec le corps médical après le fameux verdict. Mais, comme nous sommes dans les années 70, tout cet aspect de la vie humaine est tabou. Malgré cet obstacle majeur, j'ai demandé au spécialiste si j'allais pouvoir retrouver une activité sexuelle, et il m'a simplement répondu:

— Non.

— Un semblant de vie sexuelle alors?

— ...

(Silence éloquent!)

Le fait de ne plus pouvoir avoir de relations sexuelles était encore plus obnubilant que le fait de ne plus pouvoir pratiquer mes sports préférés. Comme il m'arrivait de "performer" jusqu'à quatre ou cinq fois par jour avant l'accident, ma frustration était très grande... surtout lorsque je faisais des tentatives et que, effectivement, mes organes restaient inanimés. Ces questions demeurées sans réponses ont eu pour effet de me retrancher davantage dans mon silence. Je me suis enfoncé encore plus profondément dans le gouffre.

Si j'aborde ce sujet sans aucune gêne, c'est que hélas! encore aujourd'hui, trop souvent, les représentants du corps médical affichent une pudeur bien mal placée à parler de la vie sexuelle, si importante à tout être humain. Il leur semble difficile de comprendre qu'une personne qui devient handicapée dans son corps conserve quand même toutes ses pulsions sexuelles. Il ne faut surtout pas croire que mon cas était unique, dans ce domaine comme dans les autres.

En toute franchise, je disais que j'allais marcher mais je ne savais pas comment j'allais y parvenir; j'attendais le miracle. Et ce miracle, je n'y ai pas toujours cru. Plus les jours passaient, plus les semaines filaient, et plus je me résignais à ma condition. Il est vrai que je ressentais peu de douleur à ce moment, mais je me sentais si impuissant, si condamné. L'infection à la moelle épinière progressait toujours, malgré quelques interventions chirurgicales. Cette dégradation de mon état médical a rapidement été accompagnée d'une perte complète du sens de ma vie. Ce qui m'a conduit à la frontière où s'affrontent le désir de vivre et la conviction qu'il vaut mieux en finir. À partir de ce jour, j'ai refusé de me nourrir. J'ai arraché les intraveineuses de solutés qui me meurtrissaient les bras. De toute manière, étant donné la quantité imposante de pénicilline qu'on m'administrait quotidiennement, j'avais le foie complètement déséquilibré, et je n'avais plus d'appétit depuis longtemps. On m'a rebranché, j'ai tout arraché une fois de plus. Et encore, et encore. On m'a donc administré des calmants. Lorsque j'ai repris mes sens, j'ai fait des crises épouvantables. Rien n'allait me redonner mes jambes, et cette constatation faisait naître en moi une agressivité, encore jamais fait mienne. Par exemple, je devenais très agressif quand j'entendais le mot "physiothérapie" parce qu'il était clair pour moi qu'il n'y aurait pas de résultats au bout de ces exercices. J'étais convaincu que cette thérapie n'était pas pour moi. Je me rappelle aussi un non catégorique lancé à ma mère quand elle m'a approché avec l'idée de m'acheter une civière. Ce jour-là, j'ai terrorisé cette mère qui me voulait tant de bien; j'étais si aigri qu'il n'y avait même pas de place pour le regret.

Convaincu que j'allais bientôt me sortir de mon enfer maintenant que je portais une croix au cou, j'ai décidé, une quinzaine de jours avant Noël, que j'allais quitter le lit Circo. C'était la première étape logique de ma récupération, et, pour arriver à mes fins, j'ai utilisé le seul pouvoir à ma disposition. Un jour, alors que les infirmiers procédaient à ma rotation après m'avoir demandé de m'agripper fermement, aussitôt rendu en position verticale, j'ai choisi de tout lâcher et de me laisser tomber. À la suite de ce geste, tout a fait justifié pour moi mais complètement stupide à leurs yeux, les deux préposés furent pris de panique:

— Mais qu'est-ce que tu fais? Tu es complètement fou! As-tu perdu la tête, bonhomme? Tu veux t'achever ou quoi!

Je n'entendais rien, il n'y avait rien à faire, j'étais déterminé. Et j'ai finalement eu gain de cause, après quelques jours de protestations, on me plaça dans un lit régulier. C'est à partir de ce jour que j'ai commen-

cé une existence envahie par des oreillers. Il y en
avait partout, et on venait les déplacer plusieurs fois
par jour, toujours dans le but d'éviter la formation de
plaies de lit ou de pression. Nicole, mon amie l'infirmière, était la seule personne envers qui j'étais resté
un tant soit peu poli. Cependant, un jour, elle est entrée dans ma chambre pour replacer mes oreillers en
me disant:

— Michel, pour la période des Fêtes, tu seras
seul dans ta chambre, ton voisin s'en va!

Elle croyait m'annoncer une bonne nouvelle. J'ai
craqué. Cette fois, c'est moi qui lui ai fait goûter à
ma médecine. Même s'il était évident que j'allais passer les fêtes à l'hôpital, j'avais gardé espoir d'être
chez moi à Noël. Quand ce seul désir qui me raccro-
chait encore à la vie s'est envolé, j'ai senti le moment
arrivé. Le moment de passer à l'action. C'est alors
que j'ai mis à exécution un plan qui me trottait dans
la tête depuis un bon moment déjà. Par l'entremise
d'un ami, je me suis procuré des médicaments que
j'ai commencés à accumuler très secrètement. En
ajoutant ceux-ci à une partie de ma médication quotidienne donnée par l'hôpital, j'envisageais d'en finir
avec cette misérable vie dans un avenir rapproché.

Pendant ce temps, pour adoucir ma peine, Kevin,
de connivence avec Nicole, m'avait réservé une surprise. Quelques jours avant le 25 décembre, ils ont
tiré le rideau autour de mon lit en me disant de pa-
tienter quelques minutes. Quand ils l'ont ouvert, une
trentaine de minutes plus tard, il y avait un arbre de
Noël près de la fenêtre, et la porte de ma chambre
ressemblait à un énorme cadeau. Ils l'avaient enve-
loppée avec du papier métallique et un gros ruban
rouge. Ce fut le seul moment où j'ai esquissé un sou-

rire durant mon séjour à l'hôpital Charles-Lemoyne. Vraiment le seul.

Aucune célébration particulière n'a marqué le jour de Noël. J'ai même dérogé à mon habitude en dormant à l'arrivée de cette journée. Je me souviens toutefois que, au jour de l'An 1974, j'avais accepté de voir quelques amis, et Kevin avait même eu l'autorisation spéciale de demeurer dans ma chambre à l'arrivée de la nouvelle année.

Plus le temps passait, plus les visites et les téléphones se faisaient rares. Que dire à quelqu'un qui est hospitalisé depuis quelques mois et qui ne sait pas quand il sortira? Bien que je me sois senti abandonné sur le moment, une épuration saine s'est cependant effectuée dans mon cercle d'amis. Parmi mes visiteurs réguliers, je comptais toujours ma mère, Kevin, Colette Roger, Jacques Dufresne et ma soeur cadette, jusqu'au jour où elle-même fut hospitalisée à la suite d'un accident de moto qui lui avait causé des fractures multiples. Il y avait aussi Émile Genest qui me téléphonait occasionnellement. Émile animait alors une émission à CJMS, et il lui arrivait de m'appeler pour échanger avec moi en direct sur les ondes. Je lui traçais un bilan de ma condition — un bilan maquillé, showbiz oblige —, et il me disait:

— Reviens vite, on s'ennuie de toi.

Plus souvent qu'autrement, j'éclatais en sanglots avant la fin de notre conversation. Certains auditeurs assidus s'en souviennent encore aujourd'hui. Ces courts échanges étaient mon seul lien avec ce qu'avait été mon univers: je ne lisais aucun journal, je ne regardais jamais la télé, je n'écoutais pas la radio. J'avais décroché.

Peu de temps avant Noël, on m'a conduit au service de physiothérapie pour la première fois. Bien malgré moi. En fait, c'est mon lit qu'on descendait au rez-de-chaussée, alors que, moi, j'y restais cloué, abattu, résigné. Une fois rendu au gymnase, les infirmiers me confiaient à une jeune physiothérapeute. Elle me plaçait des poids de 1 1/2 lb dans chaque main et me demandait de faire cinq flexions par bras. Déjà, mon entêtement était féroce.

— Pourquoi me faites-vous faire des exercices pour les bras quand ce sont mes jambes qui en ont besoin? lui demandais-je

— Il faut travailler vos bras, qui vous seront utiles pour effectuer vos transferts du fauteuil roulant à la voiture, dans la salle de bain ou dans votre salon.

C'était le genre de conversation qu'on me tenait. On ne me permettait aucun espoir de remarcher. Tous mes efforts devaient avoir pour but d'être le plus autonome possible dans un fauteuil roulant. Les mois de janvier et février ont été un enfer. J'avais la physiothérapie en horreur, l'infection persistait, et j'explosais à la moindre contrariété. Sans vouloir m'attarder sur ces moments particulièrement sombres, j'ai tenté de m'enlever la vie à quelques reprises durant ces mois d'hiver, en absorbant des doses considérables de médicaments que j'avais réussi à accumuler. Toutefois, je ne réussissais qu'à aggraver mon état. Le bateau coulait à pic, je faisais des trous dans la coque et, pourtant, la proue se maintenait hors de l'eau.

Aussi paradoxal que cela puisse paraître, c'est au moment où j'ai ressenti les premières véritables douleurs physiques qu'une petite lueur d'espoir est enfin venue éclairer mon quotidien. Le fait d'avoir mal m'a permis de croire qu'il y avait peut-être encore un peu de vie dans le bas de mon corps. Du point de vue médical, toutefois, on a prétendu que ces douleurs étaient psychosomatiques; mon désir acharné de marcher à nouveau poussait, disait-on, mon cerveau à inventer ce mal. Pour appuyer ce verdict, les médecins me piquaient régulièrement les genoux, les hanches, les fesses et le ventre avec une aiguille, et, à mon grand désespoir, je ne ressentais rien. Absolument rien. À un moment donné, j'en suis même venu à mettre en doute l'existence réelle de mes douleurs, même si elles devenaient plus intenses. Pour en avoir le coeur net, j'ai demandé qu'on me passe une flamme vive sous les pieds, et ça n'a eu aucun effet. Heureusement, les douleurs ont persisté, le doute m'a quitté, et j'ai finalement entrepris une nouvelle bataille: quitter l'hôpital Charles-Lemoyne pour aller à l'Institut de réadaptation de Montréal, où, selon moi, on allait s'occuper davantage des muscles de mes jambes. Des physiothérapeutes et quelques visiteurs m'avaient parlé de ce centre, où le directeur était nul autre que le docteur Gustave Gingras, un véritable génie, qui a mis au point, entre autres, les membres artificiels pour les enfants qui ont été victimes de la thalidomide dans les années 60. La phrase que m'avait dite Jacques Dufresne, "Tu sauras tirer le maximum de ce qui te reste", prenait toute sa signification quand je rêvais d'être admis à cet institut. Je me rappelle aussi m'être beaucoup accroché au proverbe chinois que j'avais déjà entendu et qui dit: "Quand tu es au bout de ton rouleau, que tu ne sais plus quoi faire, tu peux encore accomplir sept fois ce que tu as déjà fait." Grâce à ces quelques mots, l'espoir a commencé à reprendre une toute petite place dans mon quotidien. Hélas! à Charles-Lemoyne, j'étais déjà étiqueté: un irrécupérable qu'on transporte en physiothérapie une heure par jour, histoire de le tenir occupé.

Entretemps, on m'a ramené sur la table d'opération à quelques reprises pour y subir de nouvelles interventions à la colonne. De plus, parce qu'il y avait beaucoup trop longtemps que j'étais en position horizontale, lorsqu'on inclinait mon lit à plus de dix degrés, je vomissais. Je commençais également à faire des petites plaies de pression dans le bas du dos et sur les talons, des plaies dont j'ai gardé des marques, encore aujourd'hui. Heureusement, je n'ai jamais développé de plaies majeures qui auraient nécessité des greffes de peau. Bref, ma condition ne s'améliorait guère et, pour toutes ces raisons, on ne parlait pas de retour à une vie régulière. On parlait plutôt de foyer d'accueil. "Où allons-nous l'envoyer?" est une phrase que j'ai entendue un jour dans la bouche d'un spécialiste. C'était toutefois une solution qui était pour moi hors de question, et je n'étais pas de nature à m'en laisser imposer. Si être chez moi pour les Fêtes avait été un objectif irréaliste, mon admission à l'Institut de réadaptation devenait un objectif réalisable. À mes yeux.

La première personne à qui j'ai parlé de mon projet fut Jacques. Pendant mon hospitalisation, le grand patron à CJMS — aussi président du réseau Radio-Mutuel — maître Raymond Crépeau, est décédé. C'est monsieur Ed Prévost, que je connaissais un peu, qui a été nommé à la présidence. Sur l'insistance de Jacques Dufresne, monsieur Prévost, qui faisait partie du conseil d'administration de l'Institut de réadaptation de Montréal, a accepté — je crois — d'intercéder en ma faveur et d'appuyer mon admission. Entretemps, j'ai poussé l'audace jusqu'à devenir volontairement exécrable pour le personnel de Char-les-Lemoyne. De cette façon, je pensais mettre plus de chances de mon côté lorsque viendrait le temps pour la direction de l'hôpital d'analyser ma demande de transfert. La direction n'allait sûrement pas hésiter à se départir d'un tel patient. Jour après jour, j'ai lancé tout ce qui me tombait sous la main jusqu'à ce qu'on émette la directive de ne plus laisser d'objets à ma portée. Il ne m'est plus resté qu'un seul moyen de revendication: crier. Eh bien, j'ai crié! Chaque fois qu'on m'a adressé la parole, et même lorsqu'on ne le faisait pas. Ce qui a été loin de plaire au personnel infirmier, une fois de plus. D'autant plus que j'étais maintenant dans une chambre tout près du poste de garde, puisque le personnel devait me garder à l'oeil depuis que j'avais attenté à mes jours. Nul doute, le personnel hospitalier a gardé de moi le souvenir d'un homme détestable, mais ces mises en scène étaient mon seul mécanisme de défense.

Malgré mes récriminations, j'ai vécu un moment euphorique quand ma jambe droite a bougé. Couché sur le côté, au beau milieu de l'après-midi, j'ai vu ma jambe et mon pied se déplacer très légèrement vers l'arrière. Sans perdre une seconde, j'ai appuyé fébrilement sur le bouton pour appeler l'infirmière. L'attente fut très longue parce que le personnel avait pris l'habitude de négliger mes appels. Durant la journée, il arrivait même qu'on débranche ma sonnette d'appel. Quand un infirmier s'est finalement présenté, je me suis écrié:

— J'ai bougé ma jambe! Viens voir, je l'ai bougée!

Il a tout de suite cru à un nouveau subterfuge pour m'attirer la colère du personnel et il a quitté la pièce. Quelques heures plus tard, un autre infirmier est venu me voir et m'a dit:

— Tu as bougé ta jambe à ce qu'on m'a dit. Eh bien! j'attends. Bouge-la encore...

Évidemment, je n'ai pas pu répéter l'exploit malgré des efforts surhumains. Sauf que, quelques fois durant cette semaine, ma jambe a vraiment bougé, et ce fut le premier signe d'un changement tant attendu. Même si je ne pouvais le démontrer au personnel. Chaque jour, je me suis fait un devoir de me concentrer pour faire bouger ma jambe, même très légèrement. Je passais des heures à la voir bouger mentalement. Il a fallu deux semaines avant qu'une infirmière soit enfin témoin d'un très léger mouvement. Mais quand le médecin est passé, après que l'infirmière eut fait son rapport, il m'a dit:

— Ce n'est qu'un spasme. Il est impossible que vous puissiez faire quelque mouvement que ce soit.

Ma détermination ayant été fouettée par ces mots, ma bataille n'en devint que plus féroce. Ma mère, une femme qui se soucie toujours du bien-être des autres, a bien tenté, mais en vain, d'apaiser toute cette agressivité en moi. Mon but était clair: être transféré dans un établissement où on allait me redonner mes jambes. Je n'allais pas lâcher prise jusqu'à ce que ce désir soit exaucé. Je m'étais maintenant rendu compte qu'on n'allait pas m'en greffer une nouvelle paire et que tous les médicaments du monde ne me permettraient jamais de marcher.

Marcher, c'était maintenant mon seul objectif.

Chapitre 4

MES PREMIERS PAS

C'est en ambulance qu'on m'a enfin transporté à l'Institut de réadaptation de Montréal, au 6300, rue Darlington. Grâce au lobbying auquel s'étaient livrées mes connaissances, on avait fini par suggérer mon transfert à la direction de l'hôpital, qui n'avait pas hésité à me donner mon congé. Même si mon entrée à l'Institut a coïncidé avec l'arrivée en poste d'un nouveau directeur, le docteur Mongeau — un homme sévère, que je sentais moins près des gens que son prédécesseur, le docteur Gingras, pour qui l'heure de la retraite avait sonné —, j'étais heureux d'avoir obtenu gain de cause. Ma première sortie au grand air depuis le jour de l'accident se résume ainsi: étendu sur un drap que des ambulanciers tenaient aux quatre extrémités, j'ai pu apercevoir en vitesse un coin de ciel bleu, respirer l'air frais de mars avant de regarder à nouveau un plafond. Au moins, il était différent de celui que je reluquais depuis quatre mois à Charles-Lemoyne: celui-ci était fait de stuc. Toutefois, j'ai eu le temps de l'observer à ma guise, puisque, aussitôt après mon admission, on m'a installé dans une chambre au bout d'un corridor et on m'a

presque totalement ignoré durant les premières semaines. Cette fois, j'étais le cas irrécupérable qui
était entré à coups d'influence auprès du conseil
d'administration. Après un silence prolongé, j'ai décidé pour être entendu de reprendre le stratagème
utilisé à Charles-Lemoyne: refus de manger, cris sau-
vages, agressivité. Ma performance a toutefois eu
beaucoup moins d'impact. Loin du poste de garde,
on laissait tout simplement la porte de ma chambre
fermée à longueur de journée, comme si on voulait
mieux m'oublier. Mon seul contact véritable avec le
corps médical de l'endroit durant cette période s'est
fait avec mon médecin physiatre, le docteur Ramirez-Delmonte. Et quel contact! Parlons-en. Il venait
me voir une fois ou deux par semaine. Grâce à ses visites, j'ai perçu pour la première fois depuis l'accident toute la signification de l'expression "être un lé-
gume". Le docteur Delmonte a fait tout ce qu'un
être humain peut faire pour que je me sente fini, inutile, détruit. Cet homme a été à mon égard d'un cy-
nisme immonde, d'une indifférence impossible à décrire. J'ai souvent répété le gag suivant durant mon
long séjour à l'Institut: avec Delmonte, cette fois, on
peut dire que la nature n'est pas de mon bord. Aujourd'hui, avec le recul, le mystère demeure encore
entier face au comportement de cet homme. Est-ce
qu'il était foncièrement indifférent à mon endroit?
Était-il fondamentalement convaincu que je ne mar-
cherais plus jamais au point d'en développer presque
une forme de rejet envers moi? Ou, au contraire,
était-ce sa façon subtile de me fouetter, de réveiller
en moi mon côté combatif? Si tel a été le cas, il fut
vraiment subtil. Enfin, je ne le saurai jamais et je ne
le lui demanderais pas si je le rencontrais aujourd'hui. Cependant, s'il était devant moi, je pense

que je le narguerais. Sans aucune méchanceté, je lui montrerais ce que j'ai fait de son verdict, afin d'effacer le goût amer que j'ai longtemps gardé de son cocktail.

Bien que peu écoutées, mes revendications m'ont tout de même valu d'être enfin assigné, pendant une courte période, en physiothérapie. Je l'ai su quand un infirmier est entré dans ma chambre et m'a dit:

— Une fois par jour, étendu sur une civière, vous allez descendre dans une salle du rez-de-chaussée où nous allons poursuivre le programme entrepris à Charles-Lemoyne, afin de développer vos bras et votre thorax.

À ce point, n'importe quelle raison pour sortir de ma chambre était valable. Je n'ai pas maugréé. Dans la salle d'exercices, j'ai fait la rencontre d'une personne extraordinaire, Helen Benedict. Cette jeune physiothérapeute d'origine juive, toute menue, et mariée depuis peu, allait vite devenir la lumière dans ma nuit. La sagesse de son approche — parce qu'elle savait pertinemment à quel point j'étais aigri — m'a séduit.

— D'abord, nous allons faire travailler un petit peu tes bras et, tranquillement, lorsqu'ils seront un peu plus forts, nous pourrons penser à te lever, m'a-t-elle dit à l'occasion de notre première rencontre.

D'instinct, pour la première fois depuis longtemps, j'ai pensé: "Qu'est-ce que je perds à lui accorder ma confiance, au moins pour un bout de temps..."

Au cours des semaines qui ont suivi, mon tempérament s'est un peu apaisé, grâce à la présence d'Helen, même si j'agressais toujours Delmonte chaque fois qu'il entrait dans ma chambre.

— Pour qui tu travailles? Comment ça se fait que tu es docteur? Tu devrais être vétérinaire... sont autant d'insultes que j'ai pu lui lancer, alors qu'il demeurait d'une impassibilité désarmante.

Parallèlement à la physio, une infirmière a entrepris avec moi ma réhabilitation vésicale. Après l'accident, on m'avait installé une sonde urinaire parce que plusieurs de mes organes internes aussi étaient, en partie, paralysés. J'avais d'ailleurs en horreur cette sonde, et cet état d'inertie m'incommodait au plus haut point. Maintenant qu'on allait s'y attarder, ça n'en devenait que plus humiliant. Par surcroît, l'infirmière responsable avait beaucoup plus l'allure et le ton d'une religieuse expulsée d'un couvent que d'une femme apte à traiter d'urologie. Alors que j'essayais de la convaincre que je pourrais peut-être contrôler mes muscles abdominaux, que je pouvais peut-être retrouver mes fonctions vésicales et intestinales normales en y travaillant très fort, elle me répétait sans cesse:

— Arrêtez de rêver en couleurs. Faites ce que je vous dis et contentez-vous de ça.

Je ne voulais pas me contenter de ça, je ne voulais plus me contenter seulement de ça.

Faire un cathétérisme, c'est-à-dire une désinfection journalière de la vessie, est devenu l'angoisse de ma vie. C'est pourquoi, dès que j'ai su comment faire ces désinfections, j'ai aussi commencé à prendre des risques. J'ai d'abord enlevé la sonde quand j'étais seul dans ma chambre et, après quelques tests, je l'ai enlevée juste avant que les infirmiers n'arrivent pour me descendre dans la salle de physio. Je voulais savoir si je pouvais me retenir même si je bougeais. Évidemment, les premières fois, le résultat fut catastrophique. On m'a bien sûr engueulé comme ce n'est pas possible et on a pris l'habitude de vérifier si je portais la sonde chaque fois que je descendais en physio. Je n'ai pas renoncé, si bien que, lorsque les vérifications sont devenues moins fréquentes, j'ai recommencé. C'est ainsi que j'ai réussi une première rétention, non sans replacer la sonde aussitôt revenu à ma chambre. C'est d'ailleurs souvent par des agissements dissimulés de la sorte que j'ai réussi à franchir plusieurs étapes de ma réhabilitation. Par exemple, la question sexuelle a refait surface lorsque j'ai constaté pour la première fois que j'avais une érection sous mon drap d'hôpital, sans même l'avoir ressenti et sans raison. Cet état retrouvé, aussi soudain qu'inconscient, m'a permis de croire que je pourrais découvrir sur mon corps de nouvelles zones érogènes et ainsi développer une sexualité nouvelle, différente, mais qui pourrait me satisfaire. Bien que cet aspect de ma vie avait également été condamné par la médecine, j'ai travaillé — encore une fois, sans aide médicale — mentalement et physiquement afin de me rebâtir une sexualité. Grâce à cette persévérance, des mois plus tard, j'y suis arrivé, plusieurs mois plus tard!

À ce jour, peu de gens venaient pousser la porte de ma chambre. Le vide s'était fait autour de moi. Mes seuls visiteurs réguliers étaient le regretté animateur Pierre Couture, ma mère et toujours Kevin, qui continuait ses visites quotidiennes. Au début, il s'empressait de me raconter sa journée, mais il restait maintenant silencieux à chacune de ses visites, parce que je lui avais répété maintes fois que je ne voulais rien entendre de ce qu'il me racontait, de ce que je ne pouvais plus faire. En fait, je ne m'intéressais plus à rien. Je vivais dans un monde clos. Quand ma mère me disait:

— Michel, essaie de t'encourager et pense qu'il y en a des pires que toi.

Je lui répliquais:

— Ce n'est pas parce que les deux tiers de l'humanité ne mangent pas trois repas par jour que ça rend mon cas plus acceptable.

Pendant ce temps, le laisser-aller physique total, qui s'était installé dans ma vie à Charles-Lemoyne, empirait: je ne me rasais plus depuis des semaines et, plus récemment, je refusais qu'on me coupe les cheveux et même qu'on les lave. J'avais l'air d'un voyou. C'était comme si ma révolte devait emprunter ce chemin, et je me sentais bien ainsi. Le seul moment de mon existence où je voulais un peu me battre était dans la salle de physiothérapie lorsque je me retrouvais sur les grands matelas bleus. J'étais prêt à me battre, mais seulement pour mes jambes, tout le reste n'avait aucune importance.

Mon premier appui, mon premier pas — si je peux m'exprimer ainsi — vers une réhabilitation de mes jambes est venu deux mois après mon arrivée à l'Institut. Un jour, après son quart de travail, Helen monte à l'étage et pousse délicatement la porte de ma chambre. Je ne fais alors rien d'autre que fixer le plafond. Mon occupation principale est de compter combien il peut y avoir de pics de stuc au pied carré; je passe mes semaines à ne faire que ça. Helen s'approche de moi et me dit:

— Michel, je suis venu te voir: il faut que je te parle sérieusement.

Elle réussit immédiatement à retenir mon attention, ce que personne n'avait encore réussi à faire avec autant d'intensité. J'ai réalisé bien vite qu'elle était non seulement la première personne à percevoir ma détermination, mais elle était surtout la première à m'en parler. La suite de ses propos allaient être une bénédiction du ciel.

— Michel, j'ai bien réfléchi à l'entêtement que tu manifestes, et, si tu le veux, je vais faire un marché avec toi: nous allons poursuivre ton traitement selon les indications du docteur Ramirez durant la journée, mais, après mon quart de travail, je vais venir te voir ici, dans ta chambre, et nous allons faire travailler tes jambes. Si tu es d'accord, on commence tout de suite.

Ce jour-là, plus de six mois après l'accident, j'ai posé un premier geste, fait un premier effort dans le but de marcher à nouveau.

Une anecdote amusante a d'ailleurs marqué cette première séance d'exercices improvisée. Il faut comprendre que, après être resté couché sur un lit d'hôpital pendant si longtemps, le fait d'être habillé ou complètement nu n'a plus aucune importance. Quand tout le personnel infirmier connaît ton anatomie, tu perds inévitablement cette pudeur bien naturelle. Ce jour-là, je portais une camisole blanche de CJMS et un vieux short d'exercices rouge, très court. Lorsque Helen est entrée dans la chambre, j'avais les jambes croisées. Je demandais souvent à une infirmière de me les croiser: j'aimais les voir dans cette position parce qu'elles me semblaient alors encore en vie. Une fois qu'elles étaient croisées, j'avais l'impression de pouvoir me comporter comme tout le monde, sauf que, lorsque je voulais les décroiser, il me fallait absolument appeler une infirmière. Cette fois, j'ai demandé à Helen de me décroiser les jambes. Jusque-là, rien de particulier, sauf que, en effectuant un premier exercice, une partie très privée de mon anatomie lui a été révélée. Elle a brusquement reculé, sidérée. Surpris par cette réaction dont je ne comprenais pas la cause, je lui ai demandé ce qui se passait; elle ne répondit pas tout de suite. Après un moment, elle finit par me demander timidement de me couvrir et me dit que, si je n'étais pas couvert convenablement à chacune de ses visites, elle n'accepterait pas de m'aider. Lorsque j'ai compris ce qui venait de se passer, je l'ai rassurée. Inutile de préciser que j'ai veillé à ce que cette situation ne se reproduise plus. J'aimais beaucoup trop Helen pour la choquer.

Après un mois de travail en catimini, Helen m'a confié qu'elle sentait un muscle se contracter très légèrement dans ma jambe gauche. Sans que ma jambe ne puisse bouger pour autant, bien entendu. Quant à la droite, elle restait inerte. Ce fut une grande nouvelle, même si je percevais toute la prudence dont Helen faisait preuve dans ses affirmations. Elle ne voulait surtout pas créer de faux espoirs en moi, de crainte que j'abandonne les exercices de jour, concentrés au niveau des bras et du thorax. À bien y penser, elle n'avait pas tort, puisque ma seule logique était la suivante: pour moi, le problème n'était pas dans la partie supérieure de mon corps, mais dans mes jambes, et c'était sur cela que je devais me concentrer. Malgré tout, je me faisais un peu plus conciliant en ce qui a trait au programme de jour et, plus tard, je devais même concéder l'importance de ces exercices dans ma récupération. Ainsi, de jour en jour, j'ai eu de plus en plus confiance en mes possibilités. Helen a aussi cru en moi, si bien que c'est elle qui, environ deux semaines après ce premier signe positif, est allée faire part de ce progrès au docteur

Delmonte. Toutefois, elle a pris bien garde de lui révéler la nature exacte du travail que nous faisions à son insu. Le vendredi suivant, Delmonte m'a rendu visite à ma chambre en compagnie d'Helen. Devant lui, elle m'a fait faire quelques exercices que nous pratiquions depuis plusieurs semaines déjà. Pour être en mesure d'effectuer ces mouvements, il me fallait fermer les yeux et canaliser toutes mes énergies. N'ayant aucune sensation, la force mentale prenait une importance capitale dans l'exécution de ces mouvements. Il a fallu près d'une heure, et toute la patience dont le docteur Delmonte était capable, pour qu'il soit témoin de trois ou quatre infimes contractions musculaires. Fier de moi, j'attendais son verdict. Son seul commentaire fut:

— Ce n'est pas suffisant pour justifier de nouveaux exercices en physiothérapie.

Sur ce, il a quitté la chambre, et Helen l'a suivi.

Parce qu'Helen était demeurée impassible devant le docteur Delmonte, j'avais peur qu'elle abandonne le travail que nous faisions dans ma chambre. J'ai vécu de grands moments d'angoisse durant le weekend qui a suivi. Enfin, le lundi matin, j'ai revu Helen dans la salle d'exercices. Quand je lui ai demandé si nous allions poursuivre le travail en cachette, elle a été très évasive. J'ai eu l'impression qu'elle ne savait toujours pas quoi répondre. Elle était déchirée entre l'obéissance à son supérieur et la satisfaction du désir intense que j'avais de vouloir bouger mes jambes. Exaspéré devant cette situation, j'ai piqué une crise de nerfs dans le gymnase. Je me suis mis à hurler, et tout le personnel de même que les nombreux patients sont devenus muets. Helen, quant à elle, est restée stoïque, même si c'était la première fois qu'elle me voyait agressif à son égard. Dans ces minutes de rage et de révolte profonde, j'ai empoigné la croix que je portais à mon cou depuis le fameux verdict livré à Charles-Lemoyne et je l'ai arrachée. Même si j'étais étendu sur un matelas, j'ai pu la lancer à bout de bras jusqu'au fond du gymnase. D'un seul geste, je désavouais totalement l'engagement que j'avais pris, des mois plus tôt, face à Lui, là-haut, et face à moi-même. Pour la première fois, je renonçais au seul objectif qui me gardait en vie: oui, je vais marcher. Des infirmiers ont mis peu de temps pour m'empoigner, m'immobiliser sur une civière et me remonter à ma chambre. Dans l'ascenseur, j'ai finalement cessé de me débattre et de crier. Une fois rendu à ma chambre, les infirmiers m'ont étendu sur mon lit, ils ont relevé les barrières de chaque côté et refermé la porte en quittant la pièce. J'ai pleuré comme un enfant; je ne savais toujours pas si Helen était encore ma complice. Ma seule complice.

Pendant quelques jours, j'ai refusé de descendre au gymnase, j'ai refusé de manger et j'ai également refusé de faire mes cathétérismes. En raison de ma totale passivité, on a recommencé à faire la désinfection de ma vessie et à me nourrir par intraveineuses. Comme les drains qu'on m'avait placés dans la colonne vertébrale quelques mois auparavant n'étaient pas tous retirés — tout comme l'imposant corset d'acier que je portais toujours —, les médecins ont craint que l'infection s'active à nouveau. On a donc recommencé à m'administrer des antibiotiques par intraveineuses. C'est là qu'on voit toute la force du mental; aussitôt que j'avais un revers, le processus de régression de l'infection plafonnait. Ce n'est que quelques semaines plus tard qu'on a accepté de me redescendre au gymnase. J'y ai revu Helen. Sans même parler de l'incident, elle a entamé la série d'exercices prescrits par le docteur Delmonte.

— Tire la barre vers toi, monte les poids, relève ton buste, me disait-elle, alors que je ne bougeais absolument pas.

On m'a retourné à ma chambre. J'y ai encore passé plusieurs jours à végéter et à dépérir jusqu'à ce que le temps se fasse, encore une fois, le plus grand des guérisseurs. Ma première demande véritable lorsque mon tempérament s'est vaguement apaisé, je l'ai formulée à un infirmier, Paul, que je voyais presque tous les jours. Je lui ai demandé:

— Est-ce qu'il y a quelqu'un qui perce les oreilles ici?

Ébahi, le jeune homme n'a pas su quoi me répondre, mais il m'a assuré qu'il allait s'en informer. Replaçons-nous en 1974: le fait de se faire percer une oreille pouvait fort bien signifier, pour le personnel hospitalier, l'amorce d'une révolte encore plus profonde. Nul doute que ces derniers étaient manifestement inquiets face à ma demande. Pourtant, ce geste signifiait pour moi le retour sur le champ de bataille. En réalité, je désirais simplement me faire percer une oreille afin d'y accrocher une nouvelle croix. De cette façon, je ne pourrais plus jamais arracher ce symbole. Comme on pouvait s'y attendre, Paul m'a informé que c'était impossible. Changement de stratégie: quelques jours plus tard, j'ai décidé de confier à Paul la raison de ma demande, et il est à nouveau intervenu auprès de l'infirmière en chef. Résultat: la semaine suivante, un inconnu est venu à ma chambre pour me percer l'oreille, et j'y ai accroché une petite croix, que j'avais reçue en cadeau. Curieusement, Helen est entrée dans ma chambre en fin de journée, le lendemain. J'ai toujours cru qu'elle s'informait de

mon état d'esprit durant ma rébellion et que, fine
psychologue, elle avait choisi d'attendre que ma tour-
mente s'apaise vraiment avant de reprendre le dialo-
gue avec moi. Cet après-midi-là, elle ne m'a fait faire
aucun exercice; nous avons simplement parlé. Nous
avons parlé de tout et de rien, et ce n'est que quelques secondes avant son départ qu'elle m'a demandé:

— Es-tu prêt à refaire un bout de chemin?

Ce à quoi j'ai répondu oui, sans oser lui demander si elle entendait par là la reprise des exercices
prescrits ou la reprise de notre entente clandestine.
Le jour suivant, l'infirmier est venu à ma chambre
me demander comme il le faisait tous les jours depuis mon coup d'éclat:

— Est-ce que tu veux descendre?

J'ai répondu par l'affirmative.

Sur le matelas, Helen a commencé à travailler
mes bras, mes épaules, mon cou, mon thorax, mon
dos et, à un certain moment, elle m'a chuchoté à
l'oreille:

— Dorénavant, Michel, le travail sur tes membres
inférieurs ne se fera plus dans ta chambre mais ici,
dans le gymnase. D'une façon discrète, toutefois.

Ces paroles ont été pour moi plus qu'une reprise,
plus que de l'espoir, elles ont été une renaissance.
Oui, j'allais être docile. Oui, j'allais faire attention à
mes réactions. Oui, j'allais suivre toutes les indications d'Helen. Et parce qu'elle avait spécifié que
nous allions faire cela d'une façon discrète, j'avais
compris qu'elle allait contrevenir jusqu'à un certain
point aux indications de Ramirez-Delmonte, encore
une fois. J'ai baissé les yeux en signe de soulagement,
et Helen a compris que j'avais saisi le message. Cela
supposait que, si le docteur Delmonte devait entrer

dans le gymnase pendant que j'exerçais mes membres inférieurs, il fallait aussitôt travailler les membres supérieurs. Comme les autres physiatres ne connaissaient pas les détails de mon dossier, nous avons donc pu consacrer un pourcentage intéressant de mes séances quotidiennes aux exercices qui m'étaient si importants. Au fil des jours, nous avons constaté une lente amélioration des contractions musculaires de la jambe gauche, dans la partie supérieure de la jambe. Ensuite, il y a eu une amélioration au niveau du genou, plus précisément au niveau du quadriceps, ce muscle situé juste au-dessus de la rotule et qui permet au genou de plier et déplier. Le travail sur ce muscle précis a été très important dans ma réhabilitation, surtout parce qu'il permet au genou de bloquer. Tout être humain qui marche sans aide bloque inconsciemment son genou à un certain moment de sa démarche, un mouvement qui relève du réflexe mais qui devait devenir un mouvement conscient, à chaque pas, si je voulais remarcher. Durant cette période, j'ai finalement réussi à relever la partie supérieure de mon corps à quatre-vingt-dix degrés. Cet accomplissement m'a demandé plusieurs semaines d'effort parce que, dès que je me relevais le moindrement, j'avais des nausées épouvantables. Malgré cet inconfort, je me suis entêté parce que j'étais convaincu que seul le temps allait me permettre de me redresser complètement et, une fois de plus, je lui ai accordé ma confiance. Durant cette période, j'ai appris à me déplacer en fauteuil roulant. J'ai mis quelques semaines avant de savoir passer du lit au fauteuil, par exemple. Bien que ces déplacements autonomes m'apportaient une grande satisfaction et une nouvelle mobilité, après avoir été trop longtemps cloué à un lit, ils suscitaient également de terribles inquiétudes. À chaque déplacement, la peur de tomber et de me blesser me hantait. En même temps, comme toute personne qui évolue en fauteuil roulant durant un certain temps, j'en suis vite venu à faire des acrobaties et, au grand désespoir du personnel et de ma mère, je prenais plaisir à parcourir le long corridor de l'étage sur mes deux roues arrière.

Après quelques mois de travail intense, je me suis fixé un nouvel objectif. J'ai insisté auprès du docteur Delmonte et de Helen pour qu'on me fabrique des orthèses. Les orthèses, à l'opposé des prothèses — qui remplacent un membre absent —, assistent un membre dans son fonctionnement. Je désirais deux orthèses qui me permettraient de garder mes jambes bloquées en position droite, comme si elles étaient dans un long plâtre. Ainsi, par un mouvement du bassin, je pourrais les lancer l'une à l'avant de l'autre pour avancer et, pour m'asseoir, je n'aurais qu'à activer un déclencheur semi-circulaire à l'arrière de chaque genou afin de les plier. Pour justifier ma demande, je voulais absolument travailler aux barres parallèles où, grâce à l'appui solide que les barres procureraient à mes mains et à mes jambes, je pourrais peut-être marcher. Du moins, c'est ce que je pensais, même si Helen me répétait gentiment que je n'étais pas encore prêt à passer à cette étape. N'étant pas moins entêté, tous les efforts, tous les exercices, toutes les données médicales que j'ai accumulées m'ont permis d'imaginer une façon de me tenir debout. Un jour, rongé par l'impatience, je suis descendu au gymnase, alors que tout le personnel venait de quitter. Je me suis rendu devant les barres parallèles, j'ai barré les roues de mon fauteuil roulant et, là, j'ai risqué l'impossible. À l'aide de mes bras, je me suis hissé entre les barres, j'ai poussé mes genoux vers l'arrière, au point extrême, de façon à ce qu'il soit en hyper-extension, donc bloqués. Puis, en utilisant toute la force de mes bras et les capacités minimes de ma jambe gauche, j'ai réussi à avancer tout au plus de quatre pieds en une dizaine de minutes. J'ai ignoré le danger jusqu'au moment où, épuisé, incapable de bouger d'un pouce, sentant que j'allais m'effondrer et me blesser, je me suis mis à hurler comme un désespéré. Ce sont des préposés qui passaient par là qui m'ont entendu et sont venus me secourir. De toute évidence, et dois-je avouer avec raison, je me suis fait traiter de tous les noms par ces derniers. Le lendemain, la douce Helen est devenue volcan.

— Je suis de ton côté, je travaille avec toi, et tu viens mettre en péril, non seulement mon emploi, mais tout ce qu'on a fait jusqu'à maintenant. Je ne l'accepte pas!

— Mais j'ai fait cela pour te prouver que j'ai besoin d'orthèses, ai-je rétorqué. Depuis des semaines, tu n'as pas posé un seul geste pour m'appuyer dans ma démarche auprès de Delmonte.

— Nous avons discuté de cette possibilité au cours d'une réunion avec le docteur Delmonte, et il est hors de question de te fabriquer des orthèses; elles ne te serviraient à rien.

C'est la seule fois où j'ai vu Helen perdre son calme inébranlable.

Bien sûr, cette escarmouche a failli compromettre notre relation, mais, comme nous en avions vu bien d'autres, le temps a su nous réconcilier une fois de plus. Avec un faux air de contrition, j'ai donc repris mes exercices et, en plus de fournir des efforts physiques considérables, j'ai poussé l'audace jusqu'à tenter de séduire à nouveau Helen avec l'idée des orthèses. J'ai aussi fait des pressions directes et persistantes auprès du docteur Delmonte à chacune de ses visites. J'ai même osé approcher la direction de l'Institut avec mon projet. Ma patience, souvent mise à l'épreuve, a quand même porté fruit. Quelques semaines après avoir enfin accédé aux barres parallèles, où j'avais pu regagner mon équilibre, je franchissais une étape déterminante dans ma réadaptation: de guerre lasse, Delmonte me prescrivait des orthèses longues et des béquilles canadiennes. Les béquilles canadiennes sont ces cannes métalliques que l'on empoigne à quelques pouces de leurs extrémités supérieures et qui sont retenues aux avant-bras par des pinces. Ces instruments deviennent en quelque sorte un prolongement des bras jusqu'au sol et permettent ainsi un appui triangulaire de première importance au cours de la démarche.

Mon corps pouvait maintenant s'appuyer un peu sur les béquilles mais, tout le reste, sur quoi s'appuierait-il?

Chapitre 5

RETOUR À LA VIE

Durant cette longue période de réadaptation, il est évident que ma vie personnelle à tous les niveaux en a pris pour son rhume. D'autant plus que je ne m'en suis pas soucié pendant plusieurs mois. Enfin, jusqu'à ce qu'elle me rattrape alors qu'elle était dans un désordre indescriptible...

Étant sans revenus depuis près d'un an, j'étais enseveli sous les dettes. Les paiements hypothécaires de ma grande maison — sur laquelle Kevin veillait tant bien que mal — étaient en retard. Hydro-Québec me réclamait de volumineux arrérages, Bell Canada en faisait de même, et la Ville de Saint-Basile leur avait emboîté le pas depuis peu pour récupérer ses taxes. De mon côté, c'est d'une façon très superficielle que je me suis occupé de ces problèmes. Entre autres, en prenant une seconde hypothèque sur la maison parce que, contrairement à tout ce qu'on a pu raconter, je n'ai pas touché le gros lot à la suite de l'accident. Loin de là! Comme le régime d'assurance automobile gouvernementale que nous connaissons aujourd'hui n'existait pas encore, la seule indemnité que j'ai touchée fut celle couvrant la valeur de la voiture, soit 4 000 $. Une somme que j'ai aussitôt remise à la compagnie qui finançait l'auto. De plus, il était inutile de penser à poursuivre Kevin — comme certains l'avaient laissé entendre —, le jeune homme n'avait pas trente sous pour s'acheter *La Presse*, comme on dit par chez nous. Quant à mon employeur, CJMS, il avait été compatissant à mon égard en me versant mon salaire durant les premières semaines suivant l'accident. Mais il y avait maintenant plus d'un an que j'étais inactif, et j'étais complètement lavé.

C'est mon ami Jacques Dufresne, toujours au nombre des dirigeants de CJMS, qui m'a permis de gagner mes premiers sous après l'accident. Un jour, il m'a téléphoné et m'a demandé:

— Michel, est-ce que ça te tente encore de faire de la radio?

Dans un cri du coeur, je lui ai répondu:

— Jacques, ne riez pas de moi. Vous savez très bien dans quel état je suis. La radio, c'est fini pour moi. Je ne veux plus jamais toucher à ça.

Je savais très bien qu'en revenant à l'antenne, les petits journaux artistiques allaient s'intéresser à moi et voudraient me photographier, et ça, c'était hors de question. Aujourd'hui, je sais que ces mots cachaient ma honte et ma peur de me présenter dans un studio, plutôt que mon désintérêt du métier. Même si je remontais lentement la pente, physiquement, j'avais la certitude que je ne serais plus jamais dans une condition physique parfaite; comme celle que l'on exige des gens qui vivent sous les feux de la rampe. Depuis plus d'un an, Michel Jasmin, la personnalité artistique, n'existait plus, et je n'entendais pas la faire revivre. Le rêve d'évoluer dans le monde des communications, que je caressais depuis l'âge de huit ans — et

dont la réalisation s'était amorcée avant l'accident
—, était mort dans ma Thunderbird. De toute façon,
pensais-je, qui, dans ce métier, allait vouloir d'un
handicapé?

— Mais qu'entends-tu faire de ta vie alors? me
demanda Jacques.

Je n'ai pas pu répondre; je n'y avais encore jamais
pensé sérieusement.

— Je ne sais pas... Merci quand même.

Deux ou trois jours plus tard, Jacques récidive.
Après s'être informé de mon moral, il me demande si
j'ai repensé à notre conversation de l'autre après-
midi.

— Non, pas vraiment, ai-je répondu.

— Mais pourquoi, Michel? Tu peux encore faire
de la radio, insiste-t-il.

— Vous vous trompez, Jacques, j'ai perdu ce qu'il
me faut pour faire ce métier-là.

— À ce que je sache, tu n'as pas perdu ta voix. À
ce que je sache, tu n'as pas perdu ta tête. Et je suis
convaincu que tu n'as pas perdu ton intérêt pour
l'entrevue.

— Non, ça c'est sûr.

— Alors pourquoi t'entêter à me dire non?

Après un long silence, je lui confie ma peur:

— C'est tout ce qui se rattache à ce métier que je
ne veux plus vivre.

Jacques, qui avait su saisir le poids de ce long silence, me fit avec délicatesse la proposition suivante:

— Que dirais-tu si on s'organisait pour que tu
fasses une entrevue à l'Institut de réadaptation avec
la garantie que le tout se ferait dans le plus grand secret? Seul le ruban de l'enregistrement témoignerait
de cette rencontre.

Ma réponse fut très évasive, mais Jacques, qui me connaissait très bien, savait à quel point l'entrevue était — et est toujours — une passion pour moi. Heureusement, il interpréta ma fuite comme un accord. Encore une fois, par l'intermédiaire du généreux docteur Gingras, même absent de l'Institut, et du président de Radio-Mutuel, monsieur Prévost, Jacques a obtenu la permission que je fasse une entrevue dans la salle de conférence de l'Institut. Et pas avec n'importe qui: une entrevue avec Michel Sardou, qui était déjà une superstar à cette époque. Il chantait alors *La Maladie d'amour*, *J'habite en France* et *Les Ricains*, une chanson qui avait été bannie chez nos cousins français par le général de Gaulle. Tout mon corps vibrait juste à penser que je pourrais peut-être faire une entrevue. Pourtant, lorsque Jacques me confirma le tout quelques jours plus tard, ma réaction fut cinglante.

— Est-ce que vous avez dit à Sardou que c'était un infirme qui allait faire l'entrevue avec lui?

Ce à quoi Jacques répondit avec fermeté:

— Michel Sardou est au courant de tout. Il connaît toute l'histoire. Non seulement ça ne l'embête pas, il a même hâte de te rencontrer. Seuls la direction, ton physiatre et ta physiothérapeute ont été informés de la présence de Sardou à l'Institut, et la consigne est de garder l'événement secret.

Dans les jours qui ont suivi, lorsque je lisais les dossiers que Jacques m'avait remis concernant Michel, je ne retenais rien. La perspective de me retrouver à nouveau devant un micro me terrifiait. Je n'étais plus sûr de mes moyens et j'étais terriblement angoissé en pensant à la réaction de Sardou en me voyant.

Le technicien de CJMS procédait aux dernières vérifications de l'équipement technique. J'étais déjà assis dans la salle de conférence quand on m'a prévenu que Michel Sardou allait arriver d'une minute à l'autre. Poussé par mon insécurité, je relisais fébrilement mes notes. En même temps, je voulais être ailleurs. Mais il était trop tard pour reculer, Sardou entrait dans la salle, accompagné d'un membre de son équipe de promotion. En s'approchant de moi, il m'a regardé droit dans les yeux, sans détour. Le moment que je redoutais tant est arrivé: un ange est passé. Dans ces quelques instants de silence, jamais je n'ai eu l'impression qu'il regardait une curiosité, un être anormal, une personne diminuée. Michel Sardou m'a regardé comme un être humain, point. Si bien qu'en me rassoyant, tout en prenant soin de plier mes orthèses, j'ai senti monter en moi cette pulsion qui avait animé le Michel Jasmin interviewer avant l'accident. La rencontre a duré plus d'une heure, et elle s'est déroulée dans la simplicité et avec une complicité humaine que je ne pourrai jamais oublier. Une fois l'entrevue terminée, nous avons même poursuivi la conversation pendant plusieurs minutes et, encore là, je me suis senti — pour une première fois, je pense — égal, humain... comme tout le monde.

Quand le technicien eut plié bagages et que Sardou eut quitté la salle, je suis resté seul, et c'est à ce moment que j'ai pris la ferme décision de refaire de la radio. Un jour... Si je savais maintenant que je voulais refaire mon métier, où, quand et dans quelles conditions n'avaient pas vraiment encore d'importance. Ma préoccupation première demeurait de récupérer mes jambes.

À ce moment, je ne m'étais toujours pas réconcilié avec la vie extérieure, même si je regardais la télé de temps à autre, des films surtout, et que je lisais quelques pages de magazines, ici et là. À l'occasion, j'écoutais aussi la radio que mes parents m'avaient offerte à l'occasion de mon deuxième Noël en institution. Cependant, le plus clair de mon temps, hormis les quatre ou cinq heures par jour que je passais maintenant au gymnase, était toujours occupé à compter les pics du plafond; même la lecture ne m'intéressait plus.

En physiothérapie, j'apprenais maintenant à tomber parce que, si je persistais à vouloir marcher, je devais d'abord savoir comment faire pour éviter de me blesser en chutant. J'ai donc mis au point différentes techniques afin de ne pas affaiblir les greffes ni d'aggraver les plaies aux endroits stratégiques. Aujourd'hui, ces mouvements, ces pivots, sont devenus des réflexes quand il m'arrive de perdre l'équilibre et de chuter. Toutes ces techniques m'ont permis de commencer à mettre un pied en avant de l'autre, grâce aux mouvements des hanches et à l'appui au sol que me procuraient les béquilles canadiennes. Même si je ressemblais davantage à un robot qu'à un humain pendant ces courts déplacements, au moins, je bougeais. Toutefois, la peur était constante: s'il fallait que je tombe...

Après les batailles que j'avais menées pour relever ce défi, je dois avouer que l'orgueil et la fierté alimentaient maintenant une grande partie du courage qui me poussait à aller de l'avant. Surtout lorsque, pour franchir une distance de huit pieds, il me fallait faire un effort surhumain, Helen devait approcher mon fauteuil roulant à trois ou quatre reprises afin que je puisse m'y asseoir, et tout ça prenait une bonne demi-heure.

Même s'il n'y avait toujours que ma jambe gauche qui répondait — je traînais carrément ma jambe droite —, je travaillais avec acharnement pour améliorer ma performance. Cette fois, pas question de jouer au surhomme. De plus, la directive était claire: je devais utiliser mon fauteuil roulant pour tous mes déplacements. Sans exception. Ce que je fis en tout temps jusqu'à ce qu'on accepte, un peu plus tard, que j'utilise les béquilles canadiennes pour me déplacer du lit à la salle de toilette. J'ai rapidement apprécié cette mobilité retrouvée, ce qui a eu pour effet de faire naître en moi un nouveau désir: quitter l'Institut... ne serait-ce qu'un après-midi. Je me suis donc fixé comme objectif de sortir bientôt, en apportant mon fauteuil roulant s'il le faut, mais je voulais franchir le seuil de la porte principale debout, sur mes deux jambes. Quand j'ai fait une première demande à la direction, on m'a dit que je n'étais pas assez autonome. Espoir. Travail. Détermination. Malgré que l'attente soit encore une fois épouvantable, j'allais y arriver.

Exception faite de mon transfert à l'Institut de réadaptation, je n'étais jamais sorti depuis cette nuit du 11 novembre 1973, où j'étais entré à l'urgence de l'hôpital Charles-Lemoyne, étendu sur une civière. Jamais. Dès que j'ai su que je pourrais peut-être sortir pendant une fin de semaine, je n'ai vécu que pour le moment où j'allais mettre à nouveau les pieds dans ma maison de Saint-Basile. On a finalement accepté que je sorte, mais on m'a obligé à recevoir un infirmier le samedi et le dimanche. Ce qui ne causait aucun problème. C'est donc Claude Plante, mon compagnon de voyage à Paris et à Amsterdam deux ans plus tôt, qui est venu me chercher à la porte d'entrée de l'Institut, accompagné de Kevin. C'était un samedi matin d'automne, et il y avait un fin duvet de neige au sol. J'attendais dans le hall d'entrée, devant la porte principale, assis dans mon fauteuil roulant, les orthèses fixées sur mes jambes et mes deux béquilles canadiennes bien en main. Un préposé attendait avec moi; comme je le lui avais demandé, il avait bloqué les roues de mon fauteuil quand la voiture de Claude était arrivée. Fier et satisfait, je me suis levé, j'ai pris une profonde inspiration, souri distraitement à Kevin et Claude, et j'ai marché comme j'avais juré de le faire. J'ai mis cinq minutes pour franchir le seuil de la porte, et j'ai failli tomber à plusieurs reprises, mais j'ai tenu promesse: je suis sorti debout. Ensuite, épuisé mais heureux, il a fallu que je m'assois dans mon fauteuil pour compléter la distance, même s'il ne restait que quelques pieds pour atteindre la voiture. Comme on me l'avait enseigné, j'ai effectué mon transfert pour prendre place sur la banquette avant et, une fois assis, j'ai revécu. J'étais épuisé physiquement et mentalement parce que, en plus des efforts physiques, marcher exigeait une concentration énorme. Il fallait que je porte une attention constante à mon dos, que je n'exagère pas le mouvement de mes épaules ni de mes hanches, que je ne force pas trop avec mes bras, que je bloque mes genoux à chaque pas et que je n'oublie surtout pas mes notions d'équilibre. Peu importe tout ça, je revivais.

En ce grand jour, nous avons pris la direction de Saint-Basile, et c'est là qu'une autre grande aventure a débuté. Avec un pincement au coeur, j'ai vu ma maison poindre au loin. Une fois descendu de la voiture, j'ai dû relever mon premier défi, qui consistait à gravir les quatre marches menant à la porte d'entrée. Je dis bien mon premier défi parce qu'à l'intérieur ils allaient se multiplier à un rythme décourageant. Par

exemple, le moindre pas de porte, même s'il avait à
peine un pouce d'épaisseur, devenait un nouvel obstacle à franchir. Durant ce premier week-end, j'ai
vécu au rez-de-chaussée: de toute évidence, je ne
pouvais pas escalader la quinzaine de marches pour
monter à l'étage. D'ailleurs, chaque fois que je voyais
ce bel escalier qui conduisait au premier, je me sentais extrêmement diminué, car il m'était inaccessible.
Il était pour moi ce que le mont Everest peut être
pour le commun des mortels: infranchissable. Heureusement, il y avait une petite salle de toilette au
rez-de-chaussée; Claude et Kevin m'avaient aménagé
une chambre dans le boudoir. Cependant, plus le
week-end avançait, plus ma frustration grandissait
face aux obstacles qui apparaissaient l'un après l'autre. C'est aussi durant ce week-end que j'ai revu la
Thunderbird pour la première fois depuis l'accident.
Peu de temps après mon admission à Charles-
Lemoyne, on m'avait montré des photos de l'automobile. Ces clichés m'avaient fait frissonner mais
avaient également piqué ma curiosité. Dès lors, j'a-
vais appelé au garage où l'auto avait été entreposée
et je leur avais demandé de la conserver jusqu'à ce
que je sois en mesure d'aller la voir. Je ne sais trop
pourquoi j'en ressentais le besoin. Devant ce tas de
ferraille, j'ai perdu le souffle. Je me suis compté
chanceux d'être toujours en vie.

En revenant à l'Institut le dimanche soir, j'ai eu
très peur. Peur qu'on ne me laisse plus sortir parce
que je leur ai avoué que mon intégration à la vie quotidienne me semblait presque infaisable. Ce ne fut
pas le cas. Lentement, une fin de semaine après l'autre, j'ai appris à vaincre les obstacles. Certaines sorties étaient plus pénibles que d'autres; c'est pourquoi, lorsque le vendredi je semblais trop fatigué ou

abattu pour faire face aux problèmes qui m'attendaient, les médecins m'incitaient à demeurer à l'Institut. Ce que je fis à quelques occasions, bien contre
mon gré. Puis mes sorties sont devenues plus réguliè-
res, et on m'a même permis de rentrer le lundi matin
plutôt que le dimanche soir.

C'est au cours de ces courtes escapades de deux
jours que j'ai aussi renoué avec une certaine activité
sexuelle. Elle n'était pas complète ni normale —
j'haïs tellement ce mot —, mais elle était possible.
Comme je ne me rappelais pas le sentiment que l'on
éprouve quand on dit avoir des fourmis dans les
pieds, je n'avais également pas plus de souvenirs du
sentiment que l'on éprouve au cours d'un orgasme.
Tout était donc à refaire. Bien sûr, le travail parais-
sait énorme, insurmontable peut-être, mais le désir
était fort. Le plus difficile fut d'apprivoiser la réaction au toucher. En contrepartie, je constatais avec
satisfaction, à chaque fin de semaine, que je partici-
pais activement à la reconstruction de cette partie
importante mais négligée de mon existence.

Il a fallu près de deux mois avant que je sorte officiellement de l'Institut pour retourner vivre chez
moi. Malgré mes craintes, mon bonheur était grand,
puisque la vie à Saint-Basile était tout de même plus
agréable que celle près du docteur Delmonte. Chez
moi, je n'ai jamais compté les aspérités du plafond,
croyez-moi. Même si le moral n'était pas toujours au
beau fixe, je retrouvais plus d'intérêt. Malgré tout,
l'Institut a continué à faire partie de ma vie pendant
près de deux ans. Même après l'avoir quitté officiellement, j'ai dû m'y rendre cinq jours par semaine afin
de poursuivre mes traitements en physiothérapie.
Les premières semaines, mon ami Claude est venu

me reconduire chaque jour. Ensuite, j'ai pris un taxi et, un jour, lorsque je me suis senti assez en confiance, un ami a accepté de se porter garant de moi à la banque afin que je puisse m'acheter une voiture. Je l'ai fait adapter pour pouvoir la conduire sans utiliser mes pieds. Encore aujourd'hui, ma voiture est équipée d'un levier à la hauteur du volant qui me permet d'accélérer et de freiner à ma guise. Ma voiture neuve était identique à la précédente, sauf qu'elle était blanche.

Quand j'ai recommencé à conduire, comme si je voulais affronter la pire situation dès le départ, je me suis lancé dans la circulation matinale du pont Jacques-Cartier. J'ai sué mais j'ai réussi. Puis, dans les premiers jours où j'ai repris le volant, j'ai également ressenti le besoin de repasser à l'endroit même où l'accident avait eu lieu. En fait, j'y suis passé des dizaines et des dizaines de fois, en quelques jours seulement. C'était le seule façon de vaincre mes peurs. Les premiers passages m'ont particulièrement secoué, mais j'ai rapidement surmonté mes craintes. Toutefois, encore aujourd'hui, le souvenir de cette nuit refait inévitablement surface lorsque je passe par ce carrefour.

L'achat de cette voiture a coïncidé avec mon retour à CJMS, à temps partiel: on m'avait demandé de remplacer mon ami Paul Vincent durant quelques fins de semaine. J'étais toujours assailli par des problèmes financiers énormes; les créanciers venaient régulièrement frapper à ma porte, mais je réussissais encore à les éviter. Mon insouciance d'avant l'accident refaisait surface. Quant aux consignes de l'Institut, j'en faisais ce que je voulais à la maison; j'utilisais très peu le fauteuil roulant, préférant devenir plus agile sur deux jambes que sur deux roues. Ce qui eut pour effet de me faire embrasser le sol plus souvent que le pape depuis son élection, j'en suis sûr... Heureusement, malgré toutes ces chutes, je ne me suis jamais blessé sérieusement. Il était toutefois habituel de me voir arborer une ecchymose ou une égratignure, ici et là, durant quelques semaines, souvenirs évidents de mes chutes les plus graves.

Après avoir permis à Ti-Polo de prendre des vacances pendant quelques fins de semaine, j'ai remplacé un autre animateur durant la semaine, jusqu'au jour où l'on me proposa d'animer l'émission du midi: une offre que je ne pouvais pas refuser, puisqu'on me proposait de faire l'émission chez moi, où l'on installerait une ligne de transmission. Cette émission s'appelait *L'Invité-mystère*. Le concept était simple: par le biais du téléphone, les auditeurs étaient appelés à identifier mon invité du jour, une entrevue suivait, et le tout était agrémenté de jeux et de tirages. Au cours des mois que cette émission a été à l'antenne, je me souviens d'avoir reçu Ginette Reno, Diane Dufresne et plusieurs autres.

Malgré cette vie un peu plus régulière, la peur qu'on me regarde étrangement, qu'on ne me compte pas parmi la gang, me hantait constamment. Toutefois, j'ai toujours agi de telle sorte qu'on ne me prenne pas en pitié. Peu importe les situations, je n'ai jamais voulu capitaliser sur mon handicap. Au grand jamais. Par exemple, comme je l'avais craint, on a voulu me photographier, mais j'ai longtemps refusé qu'on le fasse autrement qu'à partir du thorax. De même, j'ai toujours refusé catégoriquement qu'on me photographie dans mon fauteuil roulant. La première fois où j'ai accepté d'être photographié de la tête aux pieds fut pour *Échos Vedettes*, quelques années après mon retour à la vie active. La photo avait été prise près d'une chute, aux piscines des tours La Cité. J'étais debout sur un promontoire, appuyé sur ma béquille, judicieusement dissimulée derrière ma jambe. Cette photo m'avait grandement plu parce qu'elle ne faisait aucunement référence à mon handicap. Il me semblait que j'étais le seul à savoir qu'il était impossible de me retrouver debout sur ce rocher.

Qu'importe, le public n'allait pas voir un handicapé en regardant Michel Jasmin.

Chapitre 6

LE TUNNEL
NOIR CHARBON

Il y eut un long moment où, exception faite des souffrances morales, je n'ai ressenti aucune douleur physique particulière, mais, lorsqu'elles se sont finalement manifestées, elles m'ont foudroyé. Même si je ne sentais pas mes jambes lorsque je les touchais, les douleurs qu'elles imposaient à mon cerveau étaient intolérables. J'avais l'impression qu'on me serrait les chairs très, très forts, 24 heures sur 24. Comme si on me pinçait férocement. De plus, des brûlures tout aussi intenses et des spasmes, arrivant comme des vagues de douleur à toutes les trente ou quarante secondes, accompagnaient ces crises aiguës et pouvaient m'agresser durant une heure ou... dix jours. Ces douleurs étaient apparues environ trois semaines après l'accident et persistaient depuis ce temps. À cette époque, on ne leur trouvait pas d'explication réelle — tout comme aujourd'hui, d'ailleurs. On décida alors que la seule façon d'y remédier était la médication. Lors de mon retour à la maison, j'avais donc reçu de l'Institut une quantité impressionnante de médicaments à prendre à intervalles réguliers. Comme mes connaissances d'alors m'incitaient à penser que la médication était la seule solution pour atténuer le mal, ma vie a été transformée par une consommation grandissante de ces pilules.

Parmi les médicaments que j'absorbais le plus, il y avait le Darvon et le Percodan. Ce dernier étant très certainement le médicament narcotique le plus fort sur le marché à l'époque. La posologie était claire: je ne devais prendre qu'un comprimé aux douze heures, quand la douleur se faisait trop aiguë. En très peu de temps, je n'ai pu fonctionner sans absorber quatre comprimés à l'heure! Des comprimés d'une couleur jaune pâle, de la grosseur d'une Tylenol extra-forte. En raison de ma consommation massive, j'ai rapidement développé une dépendance au Percodan, de sorte que, à un certain point, mes quatre comprimés à l'heure ne réussissaient même plus à enrayer le mal. C'est à ce moment que j'ai tenté et finalement réussi à obtenir des ordonnances pour des substances plus fortes. Sans élaborer, pour des raison évidentes, je peux dire que toutes les médications que j'ai absorbées à cette époque, je les ai obtenues de façon licite. Après mes années passées dans les entrailles du système hospitalier, j'avais développé suffisamment de trucs qui me permettaient d'obtenir des ordonnances et d'acheter ma médication et les substances narcotiques que je désirais chez le pharmacien. Pour ne pas éveiller de soupçons chez les pharmaciens, ces achats étaient faits dans cinq établissements différents, dans autant de villes. Afin de disculper le corps médical, je peux affirmer que les médecins dont les noms figuraient au bas des ordonnances ne savaient pas qu'ils faisaient partie de mes manigances. Donc, grâce à un subterfuge habile et laborieux, je me procurais des drogues légalement. Bien sûr, peu importe ces détails, je ne suis pas fier de ces agissements. Cependant, sur le moment, j'étais dans un état second si avancé que je ne mesurais pas les conséquences possibles des gestes que je posais. Je veux préciser que, durant l'année qu'a duré cette forte dépendance, cette totale dépendance, je n'ai jamais acheté de drogues sur le marché noir. Je n'y ai même jamais pensé, puisque ces substances ne m'apparaissaient pas d'une qualité égale à une médication pharmaceutique; et surtout, leur coût aurait été exorbitant.

Mon entourage était fort conscient que je ne pouvais pas fonctionner sans mes ordonnances, mais que pouvaient-ils faire? Ces amis savaient que ma médication me permettait de fuir un mal dont je souffrais depuis des années. Ils savaient aussi que, plus la médication était explosive, plus je passais mes journées dans un état quasi comateux. Bien sûr, ça n'excuse pas les gestes que j'ai posés; loin de là.

C'est durant cette période que j'ai quitté CJMS, à Montréal, pour aller travailler à CJRP, à Québec. Mon séjour dans la Vieille Capitale a duré une dizaine de mois, au cours desquels j'ai vécu dans une chambre du Quality Inn à deux pas du pont Pierre-Laporte. J'ai utilisé là-bas le même stratagème que dans la métropole pour me procurer mes médicaments. D'abord animateur, j'ai ensuite cumulé les fonctions d'animateur et de directeur des programmes, après le départ de mon ami Christian Lavoie. Il faut croire que mes patrons n'étaient toujours pas au parfum de ma condition à ce moment... Parmi ces souvenirs flous, je me rappelle une entrevue avec Gilbert Bécaud. Durant notre entretien, Bécaud se tenait après son verre de Scotch, et moi je m'accrochais à ma bouteille de pilules... Ma vie était dans un tel chaos: j'avais des cernes jusqu'à la moitié des joues, j'étais épouvantablement amaigri et je m'exprimais la plupart du temps d'une façon très incohérente. Mon arrivée à Québec a toutefois eu pour conséquence de me faire abandonner le fauteuil roulant définitivement. D'ailleurs, depuis le premier jour où je m'y étais assis, j'avais cet engin en horreur. D'autant plus que j'en avais maintenant un en permanence à la maison, un à CJMS et un autre dans ma voiture. Ainsi, lors de mon départ pour Québec, je suis monté dans ma voiture avec pour seuls appareils mes orthèses et mes béquilles canadiennes. Dès que je suis arrivé à destination, j'ai appelé mon ami qui habitait à la maison et je lui ai dit:

— Tu peux donner un coup de téléphone chez Everest and Jenning et leur dire qu'ils passent reprendre leurs chaises roulantes.

Je vivais au jour le jour, sur un nuage, et des gestes inconscients de la sorte faisaient partie de mon quotidien. Fort heureusement, pour une fois, cette initiative personnelle, irréversible et prématurée, n'a eu aucune conséquence sur ma condition.

À Québec, je vis une forme de fuite parce que, en plus d'ignorer le fauteuil roulant et d'absorber des quantités industrielles de narcotiques, j'abandonne toute forme d'exercices de physiothérapie. Quand je me regarde dans le grand miroir de ma chambre d'hôtel, je trouve que je fais dur. J'ai encore les cheveux et la barbe très longs, mais ça a peu d'importance, puisqu'il est clair que je ne suis plus un personnage public. Je suis dorénavant confiné à évoluer derrière le micro ou dans un bureau. Enfin, jusqu'à ce que Radio-Mutuel, avec raison, en ait assez de mes frasques. Je me souviens d'avoir été congédié à la fin du Carnaval d'hiver. Immédiatement après en avoir été informé, j'ai repris la route de Montréal. J'ai réintégré ma maison de Saint-Basile, où j'ai continué à vivre sur la "rumba", faisant fi de toutes formes de responsabilités. Je pouvais marcher, cahin-caha peut-être, mais j'avançais. Alors, je confiais tout le reste au hasard et à la grâce de Dieu.

Cette fois, cependant, je ne devais pas retrouver Kevin à Montréal. Peu de temps avant mon départ pour Québec, il était sorti de ma vie. Ça s'était passé un samedi après-midi, alors que nous avions eu un échange violent. J'étais assis dans mon fauteuil roulant, et lui était debout, face à moi, quand est tombée la goutte qui a fait déborder le vase. Dans une déclaration à l'emporte-pièce, il me dit:

— Mais regarde ce que tu as fait de ma vie depuis trois ans! Regarde-moi!

Ma réponse vint abruptement:

— Regarde plutôt ce que tu as fait de la mienne pour le restant de mes jours!!!

De toute évidence, c'en était trop. Pour lui, ces paroles venaient confirmer que je le tenais responsable de l'accident. Pourtant, je n'ai jamais voulu qu'il se sente ainsi et, à aucun moment, je n'avais agi de la sorte. Mais Kevin est parti sur ces paroles. Il a pris l'autobus et est retourné chez ses parents.

De retour dans mon patelin, je me suis accroché tant bien que mal à ma maison, que tous mes créanciers essayaient de reprendre. Comme je suis demeuré inactif et plutôt seul pendant au moins trois mois, rien n'est venu stopper l'hémorragie financière. C'est une demande de Paul-Émile Beaulne qui m'a sorti de ma léthargie. Je l'avais connu alors qu'il occupait un poste de direction à CJMS, pour Radio-Mutuel, et il était maintenant à l'emploi de CKAC,

Télémédia. Il m'a offert la direction des programmes de CKCH. Moins d'une semaine après son appel, j'étais en poste dans l'Outaouais. Je ne me rappelle pas comment je me suis rendu à Hull, et encore moins pourquoi on m'a engagé, puisque, à ce moment, j'étais totalement engourdi. Probablement, encore une fois, le coup de la séduction... J'ai d'ailleurs très peu de souvenirs de cette période de ma vie où je n'étais rien d'autre qu'un être amorphe, un mort vivant. Il était même très surprenant que j'aie un emploi. À ce titre, je dois souligner la patience de mes employeurs de l'époque. Au cours des dernières années, j'ai eu l'occasion de travailler à nouveau dans l'Outaouais, et quelques personnes de la région m'ont rappelé certaines de mes habitudes étranges. Entre autres, Robert Meloche, qui travaillait avec moi, m'a rappelé que, le midi, je ne mangeais que des tartes au sucre, aux framboises ou aux fraises, que j'envoyais chercher à la pâtisserie non loin de la station. On m'a aussi raconté que j'avais toujours à la main ma prochaine dose de narcotiques, que je n'hésitais plus à absorber devant les gens qui se trouvaient dans mon bureau. La seule décence que j'avais gardée, c'était de me dissimuler un peu plus pour absorber les substances qui ne se prenaient pas par la voie orale. Quant à ma tâche, je n'ai aucune idée de la somme de travail que je pouvais accomplir. Et dire que j'étais en somme responsable de la station, puisque, à mon arrivée, il n'y avait pas de directeur général et il n'y en a pas eu, jusqu'à ce que Paul-Émile Beaulne m'appelle un jour de Montréal pour m'annoncer la nomination de Michel Lalonde à ce poste. À l'occasion de la présentation de notre nouveau directeur, je suis resté dans mon bureau jusqu'à ce que ma secrétaire vienne me dire que monsieur Beaulne insistait pour que je me présente immédiatement dans la salle de conférence. Quand je suis entré dans la pièce, Paul-Émile soulignait que Michel Lalonde était issu du milieu hospitalier et non des communications, mais qu'il était l'homme de la situation. Avant même qu'il ne termine son discours, je me suis approché de Lalonde et je l'ai salué. Un peu étonné de ma conduite, il m'a dit quelque chose comme:

— Ce sera un plaisir de travailler avec vous, monsieur Jasmin.

J'ai tourné les talons et je suis retourné brasser quelques papiers dans mon bureau. Une fois la présentation officielle terminée, Michel Lalonde est venu frapper à ma porte. Assis en face de moi, il m'a dit à peu près ceci:

— Tu sais, Michel, avant d'atterrir ici, j'étais directeur général du centre hospitalier Monfort, à Ottawa, et me voilà directeur d'une station de radio. Je vais avoir grandement besoin de ton aide.

Pauvre monsieur Lalonde, il ne savait pas à qui il parlait. J'étais incapable de travailler. Il a mis bien peu de temps à constater mon état, puisque je me suis carrément endormi devant lui pendant qu'il me parlait. Il s'était alors levé, m'avait brassé un peu et, quand j'avais ouvert les yeux, il m'avait dit:

— Préférerais-tu qu'on se voie une autre journée?

Selon le souvenir que j'en ai, je lui ai répondu quelque chose comme:

— De toute façon, on va se voir tous les jours.

Je ne sais trop combien de temps j'ai passé à CKCH, ni combien de temps après son arrivée Michel Lalonde m'a convoqué à son bureau pour me signifier que la station n'avait plus besoin de mes services. Je me rappelle seulement que c'était à l'automne, puisque les journées étaient aussi sombres que ma vie.

Perdre un emploi, j'en avais vu d'autre, mais perdre un ami, c'était difficile. Au cours des semaines où nous avions travaillé ensemble, Michel était devenu pour moi un rayon de soleil. J'avais découvert en lui un être extraordinaire, un homme sensible, au coeur grand comme le monde. Régulièrement, il m'avait invité chez lui, à Mont-Bleu, une paisible banlieue de la capitale fédérale, où sa femme et ses enfants avaient été plus que chaleureux avec moi. Très subtilement, Michel m'avait fait prendre conscience à quel point ce que je vivais dans mon univers artificiel était démesuré. Il m'avait fait réaliser, jour après jour, soir après soir, ce qu'était une vie sensée, une vie familiale, une vie organisée. J'ai lentement entrevu à quel point j'étais différent.

À chacune de mes visites chez lui, Michel et moi avions pris l'habitude de marcher dans les rues de son quartier. Même si j'avais toujours de la difficulté à me déplacer, ces moments étaient devenus précieux entre tous au cours de ma semaine. On parlait alors de tout et de rien. Jusqu'au moment où j'ai abordé le sujet de mes douleurs physiques. Je lui ai raconté vaguement que je prenais des narcotiques pour enrayer le mal et que ces substances expliquaient pourquoi je n'étais pas toujours au meilleur de ma forme. Quelques jours plus tard, le sujet est revenu dans la conversation, et je suis allé un peu plus loin. J'ai demandé à Michel s'il ne connaissait pas un bon médecin à l'hôpital Monfort, qui pourrait m'aider. Il m'a alors parlé du docteur Laframboise, je crois. Comme les propos de Michel étaient devenus paroles d'Évangile pour moi, je n'ai pas hésité à rencontrer le docteur en question. Quand ce dernier m'a très fortement suggéré d'être hospitalisé quelques jours afin de procéder à des examens internes approfondis, j'ai accepté.

À ce moment, même si j'avais perdu mon emploi, j'étais demeuré à Hull, où j'avais loué un appartement au 17e étage des tours Notre-Dame. Je ne sais trop comment, mais j'avais fait venir quelques meubles de Saint-Basile pour garnir l'appartement. De plus — eh oui! — Kevin était venu me retrouver; il s'était même déniché un emploi dans les environs. Ensemble, nous faisions un beau petit duo, croyez-moi. Kevin avait recommencé à consommer de l'alcool en abondance, et, de mon côté, je vivais dans un tunnel noir charbon. Par exemple, je passais des journées entières entre les quatre murs de cet appartement à écouter des disques. Je pouvais écouter *Celtina*, une pièce instrumentale d'Alain Barrière, trente fois d'affilée. Sans vraiment savoir pourquoi. Je me rappelle avoir déjà dit que je voulais écrire des paroles sur cette musique. Il n'y avait rien qui me rattachait à la vie, et, durant ce mois qui a séparé ma rencontre avec le docteur Laframboise de mon entrée à l'hôpital, j'ai tenté trois fois d'en finir. J'ai survécu chaque fois sans avoir recours à la médecine. Un matin, pour mettre un terme à cette existence lamentable, j'ai choisi de partir pour Porto Rico. Pourquoi cette destination? Je n'en ai aucune idée; si ce n'est que cette île des Antilles représentait alors pour moi la liberté. Durant la matinée, j'ai téléphoné chez Air Canada et j'ai réservé un billet aller simple pour San Juan, Porto Rico. Quand, en fin d'après-midi, mon départ de Dorval avec escale à Miami fut confirmé, j'ai appelé à l'aéroport d'Ottawa pour connaître l'heure du prochain vol à destination de Montréal. Tout était en place, dans quelques heures, j'allais tout abandonner et commencer une nouvelle vie dans les

Antilles. J'étais catégorique, j'abandonnais tout: Kevin, l'appartement, les meubles et ma voiture, une Jaguar qu'on était sur le point de saisir de toute façon.

J'entasse dans une petite valise quelques pièces de vêtements et une montagne de narcotiques et de médicaments, sans me demander un seul instant comment j'allais réussir à passer toute cette drogue sous le nez des douaniers. Même si l'hiver est presque arrivé, je n'enfile qu'une petite chemise et un léger coupe-vent, et j'appelle un taxi. Je n'avertis personne de mon départ. C'est la fuite, la disparition, la fin d'un cauchemar. Tout à coup, le téléphone sonne. J'hésite. Est-il trop tard, ou cet appel sera-t-il le dernier auquel je répondrai au Québec? Sans avoir l'impression de m'être fait une idée, je décroche.

— Allô, oui?

— Monsieur Jasmin, c'est l'hôpital Monfort. Je vous appelle pour vous informer qu'une chambre sera disponible dès cette après-midi. Nous vous attendrons à une heure.

— Très bien, merci beaucoup.

Dans ma tête, ces mots signifiaient: "Allez au diable! Je m'en vais à Porto Rico. Ma vie est finie ici." Quelques secondes après avoir raccroché, je barre la porte et je sors de l'appartement en laissant intentionnellement les clés à l'intérieur. Je prends l'ascenseur. Je traverse lentement le hall d'entrée et je descends péniblement les marches parce qu'il n'y a pas de rampes pour m'appuyer. Le taxi m'attend déjà. Je monte. Le chauffeur me demande:

— Où allons-nous, monsieur?

Je ne réponds pas. Il patiente un peu et me pose la question une seconde fois. Je ne réponds toujours pas; il y a soudainement un doute dans mon esprit. Comme un petit nuage de bon sens, un infime doute quant à la valeur de ma décision de tout abandonner. À ce moment précis, la Force, le destin, la vie, Dieu — je ne sais pas — m'a fait dire:

— Hôpital Monfort.

Je suis entré par la porte de l'urgence, et on m'a assis dans un fauteuil roulant, bien malgré moi, pour me conduire au comptoir des admissions. On m'a ensuite amené à ma chambre. Je me rappelle le vieux monsieur qui était dans le lit voisin. Lui était sur le bord de la porte, et, moi, j'étais au fond de la pièce. Quand le docteur Laframboise est entré dans la chambre, j'étais étendu sur le lit, avec ma valise près de moi et mon coupe-vent sur le dos. Il m'a dit:

— Vous êtes prêt pour les examens?

Je me souviens très clairement de ma réponse. Dans un moment de lucidité incroyable, qui a été selon moi imprimé dans mon subconscient par Michel Lalonde et toutes ses manoeuvres subtiles pour me raccrocher à la vie, la vraie, je lui ai répondu:

— Non, je ne suis pas ici pour ce que vous croyez, docteur. Mon problème, ce n'est pas moi en tant que tel, mon problème, c'est ça.

Et j'ai ouvert ma valise.

Surpris, il a rétorqué:

— Mais où avez-vous pris cela?

Je lui ai expliqué très clairement à quel rythme je prenais tous ces médicaments. Quelques minutes se sont écoulées avant qu'il ne me demande:

— Que désirez-vous: un sevrage draconien ou progressif?

— Je ne veux pas de sevrage progressif, je ne veux pas de palliatif, je ne veux plus jamais toucher à ça.

— Vous savez, ce sera très dur.

— Je ne sais pas si ça sera dur, mais c'est la seule porte de sortie qu'il me reste.

Les trois semaines qui ont suivies sont un *black-out* total. J'ai pour seul souvenir de m'être ouvert les yeux à quelques reprises pour me rendre compte que j'étais seul, dans une petite chambre. Il semble qu'on ait dû m'isoler parce que, lorsque j'avais besoin de narcotiques ou de médications, je devenais intolérable. Tout comme on a probablement dû, à quelques reprises, m'attacher à mon lit. J'ai également su, par un infirmier, quelques jours avant mon départ de l'hôpital, qu'on me donnait régulièrement des bains de glace dans le but d'accélérer ma circulation sanguine. Durant cette période, j'ai été nourri par intraveineuse. Lorsque j'ai repris conscience et que j'ai recommencé à m'alimenter, j'ai mangé du gruau, du Jell-O et de la soupane, puisque mon système digestif était complètement déséquilibré et qu'il fallait le réhabiliter. Le docteur Laframboise devait me confier plus tard:

— Au plus grand de mes opérés, je n'ai jamais donné dans une semaine la quantité de médicaments que vous preniez dans une journée. Je ne comprends pas que votre coeur ait tenu le coup après un an et demi de ce régime de vie infernal.

J'ai lentement réappris à vivre sans médicaments ou narcotiques. J'ai été suivi par un psychiatre pendant quelques semaines. Dès que tout est devenu plus clair, j'ai trouvé la vie tout simplement merveilleuse. Le seul fait de manger un steak, même celui de l'hôpital, et de pouvoir l'apprécier, était un événement. J'étais emporté par l'éclat du jour, la splendeur de la nuit; je vivais ce que l'on appelle communément dans le jargon médical le nuage rose et ce, même si les douleurs refaisaient surface. Après le sevrage et la cure de désintoxication, je me suis fait

un devoir d'appeler les pharmaciens que j'avais visi-
tés régulièrement, afin de les mettre au courant du
subterfuge que j'utilisais pour me procurer mes médicaments. Ainsi, j'espérais qu'ils pourraient mieux
identifier et surtout prévenir les cas semblables au
mien.

Durant mon séjour à l'hôpital Monfort, ma voiture a effectivement été saisie, mon loyer repris et
tout ce qu'il y avait à l'intérieur de l'appartement li-
quidé. Jean-Claude Leblanc, qui travaillait à la télé
de Hull — il a été, entre autres, le réalisateur à Montréal de *Jeunesse d'aujourd'hui* à l'époque de Pierre
Lalonde et Joël Denis —, est venu me prendre à ma
sortie de l'hôpital. Il m'a même accueilli chez lui, le
temps de remettre ma vie sur la bonne voie. C'était
un homme que je ne connaissais pas vraiment bien,
mais une personne qui par sa bonté me redonnait
confiance en la nature humaine. Dès que je suis entré dans la maison de Jean-Claude, j'ai pris soin de
placer une fiole de narcotiques sur le réfrigérateur.
Un geste très significatif, que j'ai d'ailleurs répété
quand je suis revenu à Saint-Basile, un peu plus tard.
Tous les jours, je regardais cette fiole comme pour lui
dire:

— Tu m'as eu une fois, tu ne m'auras plus jamais.

C'était le défi. Au cours des quelques semaines
que j'ai passées chez Jean-Claude, ce dernier a pris
soin de me nourrir convenablement, et Michel
Lalonde a aussi continué à s'informer de mon état.

Si j'ai pu conserver ma maison à Saint-Basile,
c'est qu'un autre ami avait refait surface dans ma vie:
Gilles Lévesque. Originaire de l'Outaouais, quand il
avait commencé à travailler à Montréal, il m'avait
demandé s'il pouvait habiter ma maison, déserte à ce

moment, et j'avais accepté. Il travaillait à la radio de
CKLM et pouvait payer quelques comptes, au grand
soulagement des créanciers. Gilles m'a beaucoup
aidé lors de mon retour à Montréal, surtout par sa
patience et sa présence. Le psychiatre m'avait prévenu qu'après la période heureuse du nuage rose ce serait la descente aux enfers, la chute au fond du baril,
le vide absolu. Dieu merci, dans ce creux, Gilles était
présent. À la maison, je passais alors mes journées à
écouter la radio ou des disques, ayant le sentiment
de recommencer à vivre un peu. Quelquefois, je me
permettais même de cuisiner des plats pour le souper
et, même si ce n'était pas très bien réussi, pour la
première fois depuis bien longtemps, je me sentais
utile. Malheureusement, trois mois plus tard, par suite d'un conflit de travail à CKSH, la télévision de
Sherbrooke, on fit appel à Gilles pour un remplacement, et il alla s'installer dans les Cantons-de-l'Est.
Je souhaite à tout le monde de connaître un ami
comme Gilles.

Affirmer que je me sentais alors assez fort pour
m'assumer serait exagéré, mais je pouvais quand
même envisager la réalité et vivre le quotidien sans
faire appel aux narcotiques: c'était déjà beaucoup. Je
me souviens d'avoir regardé la fameuse fiole de très
près à plusieurs occasions. Elle utilisait à son tour
l'arme de la séduction, qui m'était si familière, mais
jamais je n'ai succombé. Chaque fois, je trouvais cette force momentanée qui me faisait dire: "Non, j'ai
passé au travers une fois, je ne veux plus recommencer." Je gardais contact avec quelques amis, dont Jacques Dufresne. Je l'appelais à l'occasion pour lui
donner de mes nouvelles et je me souviens d'avoir
partagé avec lui le grand bonheur que j'éprouvais
d'être sorti de cette ronde infernale où je m'étais en-

lisé. Jacques était parvenu à convaincre ses patrons
que je pouvais recommencer tranquillement à travailler. J'ai à nouveau remplacé Paul Vincent pendant ses vacances. J'avais présenté un portrait peu
reluisant les années précédentes, mais aujourd'hui
tous étaient à même de constater que j'étais redeve-
nu un être sensé, capable d'accomplir une tâche. Le
bilan, si on veut, à cette époque, se lisait comme suit:
aucun soin, aucune thérapie ni physiothérapie; la
jambe droite dans une orthèse longue ne fonctionnait pas, tandis que la gauche ancrée dans une orthèse plus courte me supportait à peine; je marchais encore à l'aide de béquilles canadiennes, et des douleurs aiguës continuaient à me harceler. Selon moi,
la récupération maximale était atteinte, et j'allais
tenter de passer à une nouvelle étape de ma vie.

Tout ce à quoi j'avais un jour renoncé allait devenir réalité, et plus encore...

Chapitre 7

LES GRANDS SUCCÈS

En 1976, je suis passé de la bande AM à la bande
FM, et mon arrivée à CKMF a coïncidé avec la mon-
tée d'une nouvelle musique aux États-Unis: le disco.
Étant à l'affût de toutes les nouvelles tendances mu-
sicales, j'ai donc mis peu de temps avant de faire
tourner les premières plages disco sur les ondes. En
fait, les premières notes disco sur CKMF se sont fait
entendre à la suite d'une méprise: alors que je devais
faire tourner une musique reposante, j'ai par erreur
placé l'aiguille sur une autre plage du microsillon,
une pièce disco de MFSB. Les lignes téléphoniques
se mirent à sonner, et j'ai eu droit à la réaction du
public. La majorité des gens ne m'interrogeait pas
sur l'à-propos de mon choix musical, mais réclamait
plutôt d'autres pièces du genre. Ainsi, même si je ne
connaissais pas l'attitude de la direction vis-à-vis de
ce nouveau son, j'ai continué les jours suivants à insérer de petits blocs de musique disco dans ma période d'antenne. En peu de temps, j'ai pu compter sur
la complicité de François L'Herbier, discothécaire, et
de Pierre Lapointe, directeur des programmes. Cependant, la haute direction devait malheureusement

nous avertir que cette musique ne cadrait pas avec la formule de CKMF et que nous devions cesser complètement de la faire jouer. Toutefois, le vent a rapidement tourné en notre faveur quand sont sorties les cotes d'écoute couvrant cette période: stupéfaits, les patrons durent admettre que les cotes grimpaient considérablement durant les quinze minutes où nous avions diffusé de la musique disco. Les discussions furent longues et acharnées, mais nous avons gagné. Pendant trois heures par jour, la nouvelle musique disco allait être à l'honneur pour la première fois sur les ondes radiophoniques. Le reste de la journée était toujours consacré au son contemporain, soit la formule standard. Quand je parle de disco, je veux spécifier que c'était quand même plus posé que la musique que l'on nous propose aujourd'hui. Les premiers interprètes disco que j'ai fait tourner étaient Donna Summer, The Village People, les Bee Gees, Martin Steven et quelques autres. Ainsi, en plus d'animer le 5 à 8, j'animais également une émission le matin, entre 9 et 11 heures, qui proposait une formule tout à fait conforme aux normes de CKMF. J'aimais les deux émissions parce qu'elles étaient très différentes: je pouvais demeurer plus neutre dans mes propos le matin et m'éclater en fin d'après-midi. J'ai également poursuivi durant un moment l'animation des nuits à CJMS, du moins jusqu'à ce que le succès de la Gang du 5 à 8 et des activités inhérentes ne me le permettent plus.

Rapidement, avec nos trois heures quotidiennes de disco, nous nous sommes créé un auditoire fidèle. C'est ainsi qu'est née la Gang du 5 à 8. Le public m'en a fait l'animateur officiel, et je suis devenu, en quelque sorte, le porte-étendard disco. Quels souvenirs! Pendant un peu plus de deux ans, on a organisé des rencontres monstres pour réunir tous les adeptes de cette nouvelle mode qui, avec le 5 à 8, venait de se trouver un point de ralliement. On a mobilisé des discothèques entières, des rues complètes ont été fermées pour des occasions spéciales; on a même rempli, à trois reprises, le Vélodrome olympique pendant douze heures. Comment oublier notre enthousiasme quand nous avons envahi cet immense stade durant une nuit entière pour la première fois? Environ dix-sept mille personnes y étaient passées pour danser et s'amuser au rythme du disco. Ces moments resteront à jamais gravés dans ma mémoire; tout comme ce jour où la Gang du 5 à 8 a célébré mon trente-troisième anniversaire de naissance. La rue Stanley, entre Sainte-Catherine et René-Lévesque (Dorchester à l'époque), a été bloquée, alors que cinq mille personnes m'attendaient face au Lime Light, la discothèque la plus in de Montréal, à l'époque. Les trois étages de l'immeuble étaient remplis, des artistes de partout étaient présents: ce fut très certainement le gros party de la gang. Incidemment, ce fut la seule occasion où mes parents acceptèrent de se présenter sous les feux de la rampes.

J'ai passé quatre ans à CKMF, c'est alors que Jean-Pierre Coallier et son associé à l'époque, Roland Saucier, m'ont approché pour aller avec le 5 à 8 à CIEL-FM. Située sur la rive sud de Montréal, cette station avait pour vocation de présenter une musique exclusivement francophone et québécoise. La proportion de musique étrangère y était infime. L'offre me permettait de devenir copropriétaire et président de CIEL-FM. Plein d'enthousiasme et croyant qu'à cette station je pourrais relever d'autres défis et aller plus loin, j'ai accepté. J'y ai travaillé pendant un an avec une partie de mon équipe, et, encore une fois, à l'occasion de la première sortie des cotes d'écoute, on a constaté un transfert de deux cent mille auditeurs. Ce qui ne s'était encore jamais vu dans la monde de la radio au Québec. J'y ai bien perdu quelques plumes, mais je garde un souvenir heureux de mon association avec Jean-Pierre. Finalement, mon départ de Ciel devait marquer la fin de mon 5 à 8. Cette période de ma vie — cinq ans — passée avec la Gang du 5 à 8 a été très gratifiante, parce qu'on avait osé et on nous avait permis de faire quelque chose de différent et que les résultats étaient vraiment probants; elle compte parmi les plus beaux souvenirs de ma carrière radiophonique.

C'est très certainement cette effervescence qui a poussé Pierre Rock, que j'avais connu à CJMS et qui était maintenant aux relations publiques de Télé-Métropole, à m'appeler un matin, alors que j'étais toujours à l'emploi de CKMF. Je venais de terminer mon émission du matin et j'allais quitter pour le lunch. Sans trop de préambule, Pierre me parle d'une émission de télévision et me propose de le rencontrer l'après-midi même au bureau de Jean Brousseau, son directeur de programmes. Je considère plus ou moins sérieusement l'éventualité de me retrouver au petit écran, car — faut-il le rappeler — je ne suis pas encore tout à fait conforme à l'image que l'on se fait d'une personnalité de la télévision. Je porte des appareils orthopédiques, je marche encore avec mes encombrantes béquilles canadiennes et j'ai d'énormes difficultés à me déplacer. Néanmoins, je rencontre Pierre Rock et Jean Brousseau, qui me demandent si je suis prêt à animer une émission qui s'appellerait *Ciné-Quiz*. J'hésitais, mais seulement pour les raisons mentionnées plus haut. Comme s'il pouvait lire dans mes pensées, monsieur Brousseau m'informe que je serais assis derrière un bureau et que je n'aurais pas à bouger. Finalement, j'accepte.

— Tu commences lundi! me dit alors Jean Brousseau.

Je suis stupéfait, à la fois heureux et angoissé. Toutefois, mon angoisse, si grande était-elle, devait faire place à une peine encore plus grande.

La vie place souvent les événements de notre existence dans un ordre étrange. Le 19 mai 1977, je faisais ma première émission de télévision au moment précis où l'on célébrait les funérailles de Jacques Dufresne, mon père spirituel. J'avais appris sa mort le soir même de mon engagement à Télé-Métropole. J'étais bouleversé parce qu'il me semblait que Jacques était partie intégrante de cette force qui m'avait poussé à accepter leur offre. La veille de ma première émission, alors que j'étais au salon funéraire, j'ai pris Raymonde, l'épouse de Jacques, à part pour lui expliquer le dilemme effroyable auquel j'étais confronté. Anéanti par la peine et totalement effondré devant la situation, je lui ai dit:

— On m'offre la possibilité de faire de la télé. Compte tenu de ma condition, c'est probablement une occasion qui ne se représentera plus jamais. Mais, d'un autre côté, je ne peux pas ne pas être là quand Jacques va partir, demain.

Ayant peine à compléter sa réponse, tellement l'émotion qui l'étreignait était forte, Raymonde me dit simplement:

— Qu'est-ce que tu penses que Jacques aurait aimé te voir faire? C'est ce qu'il faut que tu fasses, Michel.

Ainsi donc, une fois de plus, Jacques marquait un tournant dans ma vie. Je suis entré en ondes au moment même où le service funèbre débutait. En pensant à lui et en sa présence, je le sais, j'ai fait mes débuts à la télévision. Cette première expérience, je l'ai vécue les yeux bouffis. Le destin a continuellement mis sur mon chemin cet homme, qui m'a donné confiance en moi, professionnellement, et confiance en l'existence. Encore aujourd'hui, la vie me le garde présent.

On m'avait donné carte blanche sur les propos que je désirais livrer aux téléspectateurs. J'ai donc décidé d'amorcer chaque émission en transmettant des renseignements biographiques sur les acteurs et les réalisateurs des films que l'on présentait. J'intervenais cinq minutes avant le début du film, cinq autres au milieu de la présentation et je devais combler les dernières minutes avec différents tirages. Entre-temps, je regardais le film: chef-d'oeuvre ou navet... Il m'a fallu peu de temps pour apprivoiser la caméra et établir une complicité avec le public à la maison. À mon grand plaisir, ces débuts me permettaient de jumeler radio et télé. Toutefois, je me souviens de mes passages parfois peu agréables dans le hall d'entrée de la station, rue Alexandre-de-Sève. Souvent, je traversais cette vaste entrée alors que le public qui s'apprêtait à assister à un enregistrement des *Tannants* attendait, dévisageant chacune des personnes passant par là dans l'espoir d'apercevoir une vedette. À ce moment, le commentaire le plus souvent entendu était: "C'est le gars de *Ciné-Quiz*." Immanquablement suivi de: "C'est lui le gars qui a une jambe de bois." Je pense que, dans tout le cheminement que j'ai vécu, ce fut sans doute la phrase qui m'a le plus pincé, qui m'a fait mal véritablement. Je sais bien que personne ne voulait me blesser en disant cela, mais diable! que ça frappait fort. Surtout lorsque, à quelques occasions, j'ai perdu l'équilibre et je suis tombé. Le souvenir du sentiment qui m'envahissait m'est encore pénible. Mais je me relevais et je poursuivais mon chemin en esquissant, tant bien que mal, un sourire que je voulais chaleureux.

L'arrivée de Vincent Gabriele à titre d'adjoint de Robert L'Herbier, à la programmation, m'a conduit à un nouveau défi à Télé-Métropole. Un jour, il m'a convoqué à son bureau pour me demander si j'avais déjà fait des entrevues. Sans hésiter, je lui réponds que j'en ai fait plusieurs pour la radio de CJMS. J'ai ajouté:

— Que ce soit à Montréal ou à Paris, avec Ginette Reno ou Michel Sardou... En plus, j'adore ça.

Encore une fois, l'offre me surprend. Il me propose d'animer le magazine *Bon dimanche*. "Quel cadeau", me suis-je dit sur le coup, tout en me demandant si la bouchée n'était pas finalement un peu trop grosse pour moi. André Robert avait animé cette émission pendant huit ans, et Claude Maillot avait pris la relève depuis peu. Qu'importe mes interrogations, j'ai accepté et me suis retrouvé dans le fauteuil de l'animateur le 26 octobre suivant. Au nombre de mes invités pour cette première émission: Clémence Desrochers et le réalisateur français Philippe de Brocas. Comment oublier ce monsieur? Je lui avais demandé:

— Lors de votre premier contact avec vos acteurs, vous faites quoi pour établir un bon lien?

Il m'avait complètement gelé en me répondant:

— Si c'était vous cet acteur, par exemple, dans l'état où je vous vois actuellement, je commencerais par vous relaxer et vous calmer.

J'avoue ne pas l'avoir trouvé particulièrement généreux à mon égard. Heureusement, cette chère

Clémence allait m'aider et surtout me rassurer quelques minutes plus tard. Durant notre entrevue, elle m'a pris la main et s'est adressée à la direction par le biais de la caméra en disant:

— Gardez-le, ce petit garçon, ce sera une grande star au Québec! Y'é très bon!

Quelques mois plus tard, alors que j'étais maintenant un peu plus confortable dans ce salon du dimanche, on m'a prévenu que j'allais interviewer Léon Zitrone, monstre sacré en France, un des premiers grands interviewers que le monde des communications ait connus. Dès ce moment, la seule chose qui me revenait en tête était l'attitude de monsieur de Brocas au cours de ma première émission. Finalement, monsieur Zitrone avait été très sympathique. À la fin de notre entretien, il avait pris la parole pour affirmer que je deviendrais un des meilleurs interviewers de mon pays. Qu'espérer de plus?!

À cette époque, avec mon travail à CKMF, à CJMS, à *Ciné-Quiz* et à *Bon dimanche*, j'occupais à peu près douze heures d'antenne par jour. C'était énorme, et je ne disposais pas de beaucoup de temps pour reprendre mon souffle. Le travail occupait 90% de ma vie, et c'est pourquoi j'ai décidé d'abandonner, bien à contrecoeur, *Ciné-Quiz*. Toutefois, j'allais disposer de plus de temps que prévu à la suite de cette décision, puisque la journée même de ma dernière présence à *Ciné-Quiz*, j'ai enregistré ma dernière émission de *Bon dimanche*, malgré moi, dois-je l'avouer. Un conflit de travail avait éclaté à Télé-Métropole et il a duré tout l'été, de sorte que je n'ai fait que de la radio durant la saison estivale. La station de télé a réglé ses problèmes juste en temps pour la nouvelle saison automne-hiver. C'est alors qu'un autre cadeau m'est tombé du ciel: un talk-show de fin de soirée, le premier à voir le jour depuis la fin de *Appelez-moi Lise*, à la SRC.

On a commencé à faire *Bonsoir le monde*, en direct du Kathryn 333, une discothèque in, située angle Prince-Arthur et avenue du Parc, devenue depuis le Puzzle. Même si c'était très excitant, je dois dire que j'ai animé cette émission dans des conditions plutôt difficiles: nous n'avions pas, à cet endroit, les installations dont on dispose habituellement dans un studio. Ça a duré jusqu'au mois de février, alors que la direction a décidé d'interrompre momentanément l'émission pour faire place aux Olympiques de 1980, en provenance de Lake Placid. Nous ne savions même pas si nous allions revenir à l'antenne après les Jeux. Cette incertitude me décevait grandement parce que j'avais maintenant la piqûre, et je craignais que cette situation vienne mettre un terme à ma carrière à la télé. J'ai vite retrouvé mon enthousiasme quand Vincent Gabriele m'a rappelé. Toutefois, la proposition qu'il devait me faire était très délicate: on m'offrait d'animer *Les Matins de Réal*, l'émission de Réal Giguère, une des têtes d'affiche de la station. Réal, éprouvant alors des difficultés avec la direction, avait remis sa démission en après-midi. S'il maintenait sa décision de ne pas se présenter en studio le lendemain matin, je devais être prêt à entrer en ondes. Les plans élaborés au cas où cela se produirait étaient dignes d'un film de James Bond. Il ne fallait pas froisser Réal s'il apparaissait à la dernière minute. Mais il ne s'est jamais pointé, et j'ai pris la relève. J'ai bien sûr senti la surprise et la froideur à mon arrivée en studio: le réalisateur et l'équipe étant des collaborateurs de longue date de Réal. J'étais l'intrus, peut-être, mais je faisais également mon travail; dès mon arrivée sur le plateau, j'ai averti l'équipe que c'était un remplacement temporaire et, à l'antenne, quelques minutes plus tard, j'ai bien précisé que je ne prenais pas la place de l'animateur. Toutefois, une semaine a passé, et on ne savait toujours pas si Réal allait se manifester. Devant la tournure des événements, Vincent Gabriele me proposa d'animer l'émission du matin pour le reste de la saison, et le titre de l'émission devint alors *Bonjour le monde*. De plus, une fois les Olympiques d'hiver terminés, la direction a remis *Bonsoir le monde* à l'antenne les vendredis soir, et c'est ainsi que j'ai dit bonjour et bonsoir au Québec durant quelques mois.

L'été venu, on décida de diffuser l'émission en direct cinq soirs par semaine. C'est ainsi que *Un air d'été* a vu le jour. J'ai reçu sur ce plateau des personnalités issues de tous les domaines, celles qui faisaient l'actualité de même que de nombreux artistes, évidemment. Devant le succès d'*Un air d'été*, Vincent Gabriele proposa de conserver l'émission dans la même case-horaire, de 21 h 30 à 22 h 30, durant la saison automne-hiver. C'était bien sûr un énorme défi, puisque Télé-Métropole n'avait jamais détenu la plus grosse part des cotes d'écoute après vingt heures. Cette domination appartenait à la SRC. J'ai accepté, et l'émission a continué sous le titre *Michel Jasmin*, évitant ainsi *Un air d'automne*, *Un air d'hiver*, etc.

Ce furent des années très intenses, et j'en garde de si nombreux souvenirs qu'il est difficile d'en extirper quelques-uns de ma mémoire. Je pense, entre autres, à La Poune, assise sur mes genoux à chacun de ses passages à l'émission. Je pense aussi aux premières apparitions à la télé de Céline Dion, d'André Philippe Gagnon et de Peter Pringle... De même, il m'est impossible d'oublier les coups durs encaissés par mon orgueil lorsque je m'étendais de tout mon long sur le plancher du studio devant l'auditoire, juste avant d'entrer en ondes... Il y a eu aussi les fois où j'ai demandé à des invités de passer au service des costumes parce qu'il portait un vêtement d'un vert identique à la Thunderbird dans laquelle j'avais eu l'accident. Aussi, comment ne pas évoquer les surprises, les anniversaires et tous les autres moments exceptionnels? Quatre années durant, je me suis amusé de mon mieux tous les soirs, en compagnie de mes invités. Ce fut un succès inespéré. Ce fut le gros talk-show, avec deux millions de téléspectateurs chaque soir, ou presque. Encore aujourd'hui, *Michel Jasmin* demeure parmi les émissions quotidiennes les plus écoutées dans l'histoire de la télé au Québec et ce, grâce à la confiance de Vincent Gabriele, au travail et à la complicité d'une équipe exceptionnelle, et principalement en raison de la fidélité et de l'affection du public.

Grâce au succès de l'émission, il m'a été donné d'animer presque tous les galas de la station au début des années quatre-vingts. Ce fut d'ailleurs au cours de la préparation du gala célébrant le vingt et unième anniversaire de Télé-Métropole qu'un *nouveau défi*, physique cette fois, s'est offert à moi. Celui de reprendre la physiothérapie pour porter des appareils orthopédiques courts, afin d'en arriver à marcher avec seulement une canne. Ma plus grande crainte alors était que je m'attache inutilement à cet espoir. Cette peur était d'ailleurs partagée par ma nouvelle physiothérapeute. Qu'à cela ne tienne, nous avons entrepris les exercices sur une base quotidienne plusieurs mois avant l'événement. L'objectif véritable était d'augmenter mon autonomie en prévision de ce gala, diffusé des piscines du Parc olympique. La direction de Télé-Métropole prévoyait que les déplacements se feraient par les coanimateurs, en l'occurrence Christine Lamer et Alain Montpetit, alors que je pourrais demeurer assis. Mais mon idée était tout autre: je voulais me tenir au milieu de la place avec eux, être plus mobile. J'ai finalement atteint mon objectif après plusieurs semaines d'efforts et j'ai réussi à marcher avec une canne et deux appareils courts pendant le gala. La peur de tomber me hantait constamment, alors que je me déplaçais sur les estrades construites au-dessus des piscines. Je devais souvent m'appuyer sur une personne qui se tenait près de moi et, surtout, je devais toujours regarder par terre au cours de mes déplacements afin de ne pas trébucher sur les fils. Ma fierté était plus grande que ma peur, faut-il croire, puisque c'était la première fois que le public me voyait debout et, de surcroît, me déplacer. Sept années s'étaient écoulées depuis l'accident. C'est à partir de ce moment que j'ai pris congé des appareils orthopédiques longs. Je les ai longtemps conservés, croyant les réutiliser un jour en raison de la faiblesse de mes genoux. Encore une fois, la médecine n'y avait pas cru.

Jusqu'à ce moment, je ne me suis que très rarement senti inférieur ou diminué par rapport à d'autres personnes qui n'ont pas de handicaps. Même que, en certaines occasions, j'oubliais complètement le mien. Je pense, par exemple, à Suzanne Beausoleil, chanteuse et handicapée visuelle. Au cours de ses visites à l'émission, j'avoue que j'oubliais mes contraintes physiques, plus soucieux que j'étais des siennes. Toutefois, parallèlement aux traitements de physio repris à l'hôpital Notre-Dame, j'ai tenté de régler mon problème de douleurs persistantes. J'ai consulté le docteur Pierre Molina Negro, un des plus grands spécialistes au monde en ce domaine. Après avoir étudié mon cas, le docteur Molina Negro m'a informé que l'implant d'électrodes dans la colonne semblait la meilleure solution. Cependant, cela supposait au préalable une préparation psychologique et psychiatrique importante, de même qu'une hospitalisation de plusieurs jours, et le risque d'un rejet était omniprésent. De plus, la durée des électrodes étant très limitée, et leur efficacité aussi, j'ai finalement reculé devant cette solution. La seule avenue possible était donc — et est encore — de travailler beaucoup, afin de garder ma tête occupée le plus possible. Bien sûr, la médication massive aurait toujours pu enrayer une partie de ces douleurs, m'avait-on répété, mais elle risquait aussi de me replonger dans l'enfer des drogues, et il n'en était pas question.

À cette époque, j'habitais à La Cité. J'aimais cet appartement, bien que, avant d'y emménager peu de temps après mes débuts à la télé, j'aie dû vivre pendant cinq mois à l'hôtel, étant donné que la construction de ce complexe du centre-ville avait été retardée. Mes meubles ont alors été transportés dans un entrepôt, même si ma maison de Saint-Basile n'était pas vendue à ce moment; elle le fut après mon arrivée à La Cité. J'ai eu le plaisir de voir ces trois tours d'habitation sortir littéralement de terre. J'ai habité à La Cité pendant douze ans. Mon premier appartement était situé temporairement au cinquième étage, sur la rue Jeanne-Mance. Puis, quand la construction des étages supérieurs a été complétée, j'ai enfin pu vivre dans l'appartement que j'avais loué, au vingt-huitième étage. Six ans plus tard, j'emménageais dans la tour de la rue Prince-Arthur, au sixième étage. Cet intérieur a d'ailleurs été photographié par

Décormag et a gagné le prix du plus bel appartement design au Canada. Le prix fut décerné par Design Canada au cours d'un gala; une des recherchistes de l'émission et une amie, Denise Goulet, alla chercher le prix en mon nom. Ce n'est qu'en de très rares occasions que j'ai accepté de recevoir des journalistes ou des photographes. Je me souviens d'une seule fois où, pour une entrevue avec le capitaine Jacques-Yves Cousteau, j'ai permis qu'on se serve de ma terrasse. Elle était immense, et c'était mon jardin privé. On y avait monté sept mille livres de terre, dans des sacs de cinquante livres chacun, on avait planté trente-sept arbres et des centaines de fleurs. Je n'acceptais pas alors qu'on voie mon chez-moi et je ne l'accepte pas plus aujourd'hui. Seuls les amis intimes y avaient accès, sauf en de rares occasions. Les amis, cependant, j'en avais très peu, contrairement à mes premières années dans le showbiz et malgré l'image de jet-setter qu'on m'attribuait encore. À la quantité, je préférais maintenant la qualité. Dans ces relations, je pense d'ailleurs avoir été plutôt celui qui écoute que celui qui est écouté, car je me sentais incapable de m'ouvrir aux autres comme je peux le faire aujourd'hui. Le succès, je pense, nous oblige à nous protéger afin de l'apprivoiser.

Au niveau émotif et personnel, l'équilibre n'existait pas vraiment à ce moment-là. Je mettais toutes mes énergies ou presque dans le métier que je faisais. Je vivais cette réussite comme une récompense inattendue et extraordinaire, ayant toujours pensé que ce vedettariat m'était inaccessible. Je réalisais que c'était un privilège, dans ma condition, de pouvoir faire de la télé, d'être accepté à la fois par mes employeurs et, surtout, par le public. Tous savaient que j'étais handicapé et l'acceptaient. Durant ces années, je vivais avec quelqu'un, mais on ne se voyait que très peu. En fait, on se croisait à la maison. Trop pris par mes obligations et lui par ses ambitions, nous avons convenu de mettre un terme à notre relation, après environ trois années. Je suis heureux parce que de cette relation est née une belle amitié. Même si Alain est aujourd'hui marié et père de famille, nous sommes toujours demeurés en bons termes, malgré la fréquence limitée de nos rencontres.

De plus, au printemps 1984, je m'étais engagé dans la réouverture du restaurant Hélène de Champlain, dans l'île Notre-Dame, sur l'initiative de Pierre Marcotte. Ces années furent heureuses quoique astreignantes, étant donné que je tenais à être présent tous les midis et tous les soirs pour saluer les convives. Je n'aimais pas tellement la restauration en tant que tel, ni l'administration, mais le contact avec les gens m'enchantait, et l'endroit était devenu mon second chez-moi.

Un jour, Vincent Gabriele, avec qui je discutais dans la salle à manger — à la table voisine se trouvaient Robert L'Herbier, Claude Taillefer et Gilles Pilon —, m'apprend que l'émission *Michel Jasmin* est retirée de l'horaire parce que les cotes d'écoute ont chuté à un million quatre cent mille téléspectateurs. Ne sachant trop comment réagir de prime abord — dois-je ramasser mes choses et m'en aller? Ou y aura-t-il une suite? —, je me sens quelque peu rassuré quand il s'engage sur une autre avenue avec un ton optimiste. Vincent me propose d'animer une émission le dimanche soir, où je présenterais de nouveaux talents au public. Par contre, en y réfléchissant, cette proposition semble terne. La formule qu'on m'a sommairement expliquée est vide, et je n'y voyais pas de défi. Je ne percevais absolument pas comment ce concept banal pouvait me permettre de faire de la télé comme j'aime en faire, c'est-à-dire étonner, surprendre le public, le rendre complice de mon plaisir. Quand est venu le moment de quitter la table, j'ai donc clairement indiqué à Vincent que j'allais y réfléchir.

— Non pas que je lève le nez sur la formule que vous me proposez, ai-je précisé, mais je ne crois pas que ça me tente vraiment.

Ce sont à peu près les mots que j'ai utilisés. Vincent s'est aussi levé et m'a serré la main. Nous nous sommes dirigés vers la table voisine, et je me souviens que Robert L'Herbier m'a alors dit, un gros cigare à la main:

— J'espère que vous vous êtes entendu avec mon ami Vincent!

Ma réponse fut:

— Non, pas tout à fait.

J'ai ajouté que j'allais prendre un temps de réflexion.

Monsieur L'Herbier me fait savoir alors qu'il lui fallait une réponse assez promptement. Dans ma tête, la réponse se formulait déjà, mais je ne voulais tout simplement pas la donner tout de suite, de peur de me tromper. À ce sujet, un doute est toujours resté à l'esprit de monsieur Gabriele, qui prétend que je lui avais donné mon accord en lui serrant la main ce midi-là. De mon côté, tout est différent. J'avais demandé à y réfléchir, et c'est ce que j'ai fait les jours suivants, sur mon bateau. Je ne sais pas, et ne saurai probablement jamais pour quelle raison Vincent Gabriele en avait conclu autrement. Il continue, même aujourd'hui, de prétendre qu'en passant à Radio-Québec à l'automne 1984, j'avais trahi Télé-Métropole et manqué à ma parole. Je tiens ici à préciser qu'en toute chose, pour moi, une poignée de main et une entente verbale ont toujours eu au moins autant de valeur qu'une signature au bas d'un contrat. Or, je n'avais pas, cet après-midi-là, accepté l'offre de Vincent Gabriele.

On a souvent rapporté ces faits, tant bien que mal, voici comment se sont présentées les choses par la suite. À cette époque, le producteur Michel Gélinas m'avait approché pour me proposer d'animer une émission ainsi que m'associer à sa production. Nous étions en mai 1984, et le projet devait se concrétiser à l'automne. Il fallait donc agir vite. La journée de ma dernière émission, Gaston W. Bélanger, président de T-M à ce moment, et Robert L'Herbier m'invitèrent au club Saint-Denis, dans un salon privé, pour me convaincre de rester avec eux. Au cours de la conversation, je découvre que le projet de Michel Gélinas, maintenant proposé à Radio-Québec, avait aussi été offert à Télé-Métropole trois mois plus tôt. Michel avait présenté le projet à Télé-Métropole bien avant ma rencontre avec Vincent Gabriele, ce que j'apprenais. Monsieur Bélanger me reproche non seulement mon intention de quitter Télé-Métropole mais aussi de ne pas leur avoir proposé le projet. Je ne peux pas croire ce que j'entends.

Permettez-moi ici d'ouvrir une parenthèse très importante. Télé-Métropole a traversé seize mois de grève, durant lesquels j'ai fait mon émission tous les jours, malgré les contraintes et les menaces. Je pense que ça, ça s'épelle fi-dé-li-té. D'ailleurs, on m'a souvent répété à cette époque que, si je ne remplissais pas mes obligations contractuelles envers la station, j'étais passible de poursuites. L'Union des artistes n'appuyait pas ses membres coincés entre les grévistes et la direction de T-M. Ainsi, la station pouvait poursuivre ceux qui ne respectaient pas leur contrat. Je ne pouvais me permettre de prendre ce risque, car cela aurait pu me coûter très cher. Je ne veux pas porter de jugements sur ce qui est arrivé; je constate des faits, simplement. Certaines périodes furent extrêmement difficiles à traverser durant cette grève. Par exemple, les grévistes me voyaient comme un scab, j'avoue que cela m'a blessé beaucoup plus profondément qu'ils ont pu l'imaginer. Ces travailleurs, pour la plupart, étaient des personnes que je connaissais bien, mais je n'avais d'autre choix que de respecter mes obligations, ce qui impliquait franchir la ligne de piquetage, même si la direction m'avait offert à plusieurs reprises de me faire entrer dans l'immeuble à la dérobée.

Mais revenons à ma rencontre au club Saint-Denis et au projet de Michel Gélinas, qui l'avait présenté à Télé-Métropole trois mois plus tôt, sans m'en informer. Dans le feu de la conversation, monsieur Bélanger se tourne vers Robert L'Herbier et lui demande:

— Est-ce vrai Robert que nous avons eu le projet?

— Oui, répond monsieur L'Herbier, il me semble, effectivement; je pense qu'il a été déposé quelque part, sur une tablette, dans un bureau.

Gaston W. Bélanger a alors adressé un regard meurtrier à Robert L'Herbier, et ce fut la fin de notre conversation. Le dessert fut âcre, et le café amer.

Dans les jours suivants, "L'Autre Télévision" a accepté le projet, et je suis passé, si on peut dire, à Radio-Québec. J'ai d'ailleurs appris la nouvelle de façon inusitée. René Gilbert, à l'époque réalisateur à Télé-Métropole, a tenté de me joindre par radio sur mon bateau, alors que j'étais sur le Saint-Laurent avec quelques amis. Nous voguions vers la Vielle Capitale pour assister aux événements de Québec 1984. Il voulait m'apprendre que la nouvelle faisait la une du *Journal de Montréal*. Incidemment, naviguer sur le *Romac* — baptisé ainsi en hommage à Ronald McDonald et à la chaîne de restaurants dont je faisais les réclames depuis plus d'un an, ce qui m'avait donné les moyens de faire cet achat — était pour moi une grande évasion: rarement m'y avait-on joint. Mais je n'ai pas su tout de suite de quoi il s'agissait, car c'est mon amie Diane qui avait pris l'appel. Quelques heures plus tard, le bateau amarré au bassin Louise, dans le Vieux-Port de Québec, René m'annonce froidement, par téléphone:

— Comme ça, tu passes à Radio-Québec!

Je venais d'apprendre avec certitude que le projet allait démarrer à l'automne. Étant sur le bateau, je n'avais évidemment pas vu la première page du *Journal de Montréal*. Inutile de dire qu'à l'entrée de la marina les journalistes étaient avides de mes commentaires. Quel bonheur d'être isolé sur l'eau...

Devenu animateur de *Variétés Michel Jasmin*, à Radio-Québec, je m'occupais aussi de la création avec l'équipe de recherche, les musiciens et les artistes. J'ai commencé mon travail pour l'émission durant l'été, en Europe. Je tentais d'amener au Québec certains artistes depuis longtemps absents de notre scène. Sur le vieux continent, je renoue avec la famille Marouani, que j'avais connue lors de mon premier voyage à Paris, et je revois aussi les Sacha Distel, Michel Sardou et plusieurs autres. Michel Gélinas, quant à lui, s'occupait de l'administration de la production. C'était, en gros, notre entente. Avec enthousiasme, j'ai donc sauté à pieds joints dans cette nouvelle aventure. C'est avec un bonheur renouvelé que j'ai animé la première. Comment l'oublier, alors que nulle autre que Zsa Zsa Gabor m'avait présenté.

— Mézames et Mezieux, mon bon ami Mizhel Jasmin! avait-elle dit en guise d'ouverture.

Encore aujourd'hui, je reçois ses voeux de Joyeux Noël et de Bonne Année. Quand il m'arrive d'avoir la nostalgie de ces bons moments de télévision, je regarde une des trente émissions de *Variétés Michel Jasmin* que je possède sur vidéocassettes. C'était, selon moi, de la grande télévision.

J'y retrouve une grande fierté personnelle, professionnelle et émotive.

À mes débuts à
CJMS, en 1969.

La maison de
Saint-Basile-le-Grand.

Après mon premier voyage à Paris, je retrouve
Patrick Juvet et sa secrétaire à Montréal.

Ma première émission de télé.

Nous sommes à Montréal, en 1977.
Je porte un appareil long à la jambe droite
et un court à la jambe gauche.

À *Bon Dimanche*, je reçois
Edward Rémy, qui parle... potins.

La photo officielle
de 1978.

Avec un autre complice de la mode disco,
Alain Montpetit.

À Hull, avec mon ami Michel Lalonde et sa femme.

Sur le plateau de *Bonjour le monde*, ex-*Matins de Réal*.

La grande famille de l'émission *Michel Jasmin*. À ma gauche, mon amie Diane Bonneau.

La belle époque de la Gang du 5 à 8, à CKMF.

Michel Jasmin, saison 80-81
Avec Ginette Reno
et Benoît Marleau.

Début de années 80. Une rencontre chez
le photographe Daniel Poulin.

Cette photo fut prise à l'époque de ma faillite.

Avec mon ami
et associé
Pierre Marcotte.

Le grand saut à Radio-Québec:
le grand défi de *Variétés Michel Jasmin*.

Un moment unique dans ma vie:
ma rencontre avec le pape Jean-Paul II.
À mes côtés, Céline dion.

Retrouvailles sur un terrain de golf:
Jocelyne Bourassa, Michel Sardou et Daniel Talbot

1985. Le sourire d'un homme soulagé: le dossier
de la faillite est sur le point d'être clos.

À Télé-4, en
compagnie de mon
grand ami de
Québec,
Pierre Gingras.

Fidèle à son
habitude, Henri,
malgré ses trois
mois, se tient à
ma gauche. Sur la
plateau de
Via Québec.

Avec Henri, sur mon bateau, dans le bassin Louise
du Vieux-Port de Québec.

Ma maison
de Québec, où
je n'ai finalement
vécu qu'un
mois et demi.

Dans le salon de ma maison de Québec.

Une mise en scène avec mon ami Maurice «Mad Dog» Vachon, sur le plateau de *Jasmin Centre-Ville*.

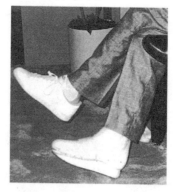

La «fameuse» botte de fibre de verre, dont m'a libéré le docteur Papineau.

Le temps d'un été, *Jasmin en direct*, en 1988 à TQS.

Ma première entrevue pour le magazine *7 jours*,
avec mon amie Janette Bertrand.

À L'Île-des-Sœurs, assis dans le salon:
un regard vers l'avenir...

Chapitre 8

LA FAILLITE

Au cours de mes derniers mois à l'emploi de Télé-
Métropole, au moment de mon arrivée à Radio-
Québec, j'ai vécu de pénibles démêlés avec les ministères du revenu des deux paliers de gouvernement.
Je ressens depuis longtemps le besoin de révéler à
quel point les gouvernements m'ont harcelé. Jusqu'à
maintenant, je vous ai présenté le dossier médical,
voici le dossier légal.

Un matin, au début d'octobre 1982, je descends
prendre mon courrier. J'y trouve mon compte de téléphone, 34,82 $, celui du câble, 26,48 $, et ma cotisation d'impôt: on me réclame la bagatelle de
387 000 $. Je dois admettre que ça commence très
mal une journée. Beaucoup de gens ont pensé que
ma faillite était due au fait que mes impôts n'étaient
pas payés. Ce n'est pas du tout le cas. J'avais payé
mes impôts, mais les lois ayant été changées, le gouvernement avait décidé de réviser les déclarations
des revenus des artistes, spécialement ceux qui
étaient le plus en vue. Je tiens à préciser ici que je ne
suis pas tout à fait certain d'avoir bien compris tout

ce qui s'est passé durant cette période de ma vie: j'ai souvent eu l'impression que les règles du jeu changeaient selon l'humeur des intervenants.

Des fonctionnaires avaient donc révisé mes déclarations de revenus des huit dernières années. L'ennui majeur se situait au niveau de mes déductions. Faut-il dire que, à ce moment, la loi qui régissait l'impôt des gens de mon métier datait de 1953, c'est-à-dire six mois seulement après l'arrivée de la télévision au Québec? Cette loi était désuète, de toute évidence. À titre d'exemple, il n'était pas possible de demander des déductions pour des vêtements qui n'avaient pas de paillettes, d'aigrettes ou de plumes d'autruche. Il m'aurait donc fallu porter des costumes extravagants pour avoir droit à ces déductions, mais le music-hall n'était pas ma spécialité. Les complets traditionnels que je possédais n'étaient pas déductibles selon la loi de l'impôt. Pour être exact, je possédais quarante habits, et j'en renouvelais vingt-quatre chaque année. À la suite de l'enquête, toutes ces dépenses, en cours depuis huit années, furent refusées. Ce fut la même chose avec les autres dépenses liées à l'exercice de mon métier. Autre exemple: je répondais à toutes les lettres que je recevais, je dois dire que les timbres, les enveloppes et autres articles de papeterie me coûtaient très cher, puisque je recevais de deux cents à deux cent cinquante lettres par semaine. Les fonctionnaires ont refusé de reconnaître le bien-fondé de ma compagnie, Les Entreprises Michel Jasmin inc., prétextant que je n'avais par le droit d'opérer sous cette raison sociale, et toutes les dépenses devenaient imputables à Michel Jasmin, l'individu... d'où le coup de masse. À cause de cette décision, on m'a cotisé comme si je n'avais jamais payé d'impôt. Ni comme compagnie, ni comme individu.

J'avais aussi accumulé des rentes à revenus différés. À cette époque, en prévision des jours plus difficiles, nous, les artistes, pouvions prendre une partie de nos revenus, les placer dans un compte en fiducie et nous payer un salaire à même ces rentes dix ou vingt ans plus tard. Les sportifs avaient les mêmes privilèges, compte tenu que la durée de leur carrière est aussi relativement courte: les années grasses ne durent pas longtemps dans le milieu sportif, pas plus que dans le milieu artistique. Les gouvernements m'informaient que je ne pouvais plus agir de cette façon. J'ai donc dû sortir ces montants d'argent placés à la Crown Life, et je me suis retrouvé avec des revenus qui n'avaient aucun bon sens.

Malgré tout, contrairement à ce qui a été rapporté, je n'ai jamais été — au grand jamais — le premier animateur québécois à apposer ma signature au bas d'un contrat d'un million de dollars. D'ailleurs, je doute fort qu'une personnalité artistique d'ici puisse, aujourd'hui même, revendiquer ce privilège. Quant à moi, je n'ai jamais gagné plus de 250 000 $ par année, tous revenus regroupés. J'étais alors taxé à 69 %, et il ne me restait que 0,31 $ pour chaque dollar gagné. Ajoutez à cela l'impôt et les intérêts encourus, plus les pénalités, et vous arrivez à 387 000 $ à payer en ce matin d'octobre.

Bien sûr, j'ai téléphoné sans tarder à mes comptables. Depuis deux ans déjà, à grands renforts de propositions, on essayait de faire valoir que le changement de loi ne m'était pas équitable, et, tout ce temps, je me doutais un peu que je pouvais être cotisé arbitrairement. J'ai communiqué ensuite avec le

Ministère afin de voir si je pouvais prendre un arrangement quelconque.

C'est toujours le provincial qui commence le bal dans ces cas-là, et le fédéral bûche à son tour par la suite. C'est drôle de voir que les gouvernements ne s'entendent pas sur plusieurs points, dont la constitution, mais, lorsqu'il s'agit de frapper sur un contribuable pour des raisons fiscales, ils s'entendent comme larrons en foire. Et les marteaux tombent en même temps sur la personne.

Inutile d'ajouter que l'on m'a trimballé de bureau en bureau, si bien que, à l'occasion de la demande de libération, beaucoup plus tard, lorsque le juge m'a demandé avec qui j'avais transigé, je n'ai pu lui fournir aucun nom. Les ministères non plus d'ailleurs... Le seul nom que je possédais apparaissait sur le document de cotisation, et je n'ai jamais pu parler à cette personne. La seule personne dont j'ai connu le nom est celle à qui j'ai réussi à parler pour tenter de négocier. C'est d'ailleurs lui qui a demandé qu'une rencontre soit organisée afin de discuter de la réjouissante facture. Comme mes conseillers m'ont fait comprendre à ce moment qu'il était inutile d'organiser la rencontre chez moi, parce que cela ne m'apporterait que davantage de problèmes, j'ai donc rencontré ce représentant du gouvernement dans le studio D de Télé-Métropole, là même où l'émission était enregistrée et ce, en accord avec mon réalisateur, bien sûr.

Avocat, comptables, fiscalistes et moi-même avons essayé en vain de faire entendre raison à ce monsieur. Il s'est entêté et a affirmé — même s'il vivait au pays depuis quatorze ans — ne rien savoir de moi, ne m'avoir jamais vu à la télé ni sur la première page d'un journal ou d'un magazine. Il n'avait jamais entendu parler de moi et a dit ignorer totalement qui j'étais. Le décor du studio dans lequel nous nous trouvions ne lui disait rien, et il n'avait jamais entendu mon nom à la radio. J'étais au sommet de ma carrière et je n'avais jamais été aussi présent dans les médias. Il se disait pourtant objectif et affirmait que le seul endroit où il avait entendu prononcer mon nom, c'était dans les bureaux du ministère. J'en ai déduit que, en dehors de son travail, il était sans aucun doute membre d'une communauté cloîtrée. Je l'ai trouvé d'une absurdité rare. Et c'est sur ce ton que s'est amorcée notre rencontre...

Point par point, nous avons essayé, pendant plus de deux heures, de lui faire comprendre comment mes dépenses se justifiaient. Les crédits au générique n'existaient pas et je payais moi-même mes costumes. Ce n'était pas commandité... La papeterie me coûtait près de 5 000 $ par année, les timbres près de 3 500 $... Mes déplacements en taxi pour le travail seulement totalisaient au moins 10 000 $...

Rien n'y fit. J'avais l'impression que ce monsieur se foutait complètement de nous... ce qu'il faisait, je pense. Il ne s'intéressait absolument pas à ce qu'on racontait. Après deux heures et demie de représentations, il a sorti de sa valise un épais document et a dit, sans ménagement:

— De toute façon, la cotisation est déjà établie! La voilà!

Et il a laissé tomber le document sur la petite table ronde.

Tout ce temps, il savait que la décision était déjà rendue, d'où son indifférence. Encore aujourd'hui, je n'arrive pas à comprendre comment il avait pu nous faire perdre ce temps inutilement. Il savait bien que je payais le gros prix pour ces spécialistes que j'avais fait déplacer. En réponse à mon interrogation, il avait dit:

— Vous aviez le droit de vous défendre. C'est la démocratie!

Me défendre! Alors que la décision était rendue. Son idée était de me l'imposer, que je l'accepte ou non.

De toute évidence, je ne pouvais ouvrir mon carnet et signer un chèque de 387 000 $. À nouveau, je communique, ou devrais-je dire je tente de communiquer, avec le Ministère. Il m'est impossible d'obtenir plus que le prénom du fonctionnaire avec qui je parle. Je lui fais part que la cotisation est arbitraire et que je la conteste. On m'explique que l'argent doit être déposé avant de contester. (Le système fonctionnait ainsi à l'époque, maintenant on peut contester sans avoir à déposer l'argent, je crois.) Ayant épuisé tous les moyens pour arriver à leur faire entendre raison, j'étais découragé. Si au moins on avait accepté d'enlever les intérêts, certaines pénalités, le montant aurait été moindre. L'inflexibilité des fonctionnaires était totale tant au fédéral qu'au provincial. Plus que découragé, j'étais désespéré. Après un nouvel appel à mon comptable, le verdict tomba comme une guillotine:

— T'as pas tellement de choix, il ne te reste qu'à déclarer faillite.

La première fois où il a prononcé ces mots, des frissons m'ont parcouru le dos. Nous étions en octobre 1982, j'étais au sommet de la popularité, j'animais l'émission de télé la plus écoutée. Dans l'idée des gens, je gagnais un million et demi par année. Encore une fois, cette image véhiculée par les médias était bien loin de la réalité. Mais, à ce moment, personne n'osait même supposer que je puisse faire faillite. Moi-même, je ne l'acceptais pas. Je ne dormais plus, j'étais torturé, tourmenté. Seules les personnes très proches de moi savaient ce que je vivais. Je faisais mon émission tous les soirs avec le sourire. Je me devais de donner au public ce qu'il était en droit d'attendre. Ce faisant, j'y trouvais cependant ma force et mon courage.

Finalement, cédant à l'insistance de mes conseillers, j'ai accepté de déclarer faillite. Les procédures furent vite entreprises par le syndic. Le lendemain de ma décision, il faisait l'inventaire de mes biens. J'étais en larmes. Tout ce que j'avais bâti s'effondrait à nouveau. Robert Ste-Marie, le syndic, s'est donc présenté chez moi. À sa grande surprise, il n'a rien pu saisir dans mon appartement, puisque je ne possédais pas d'oeuvres d'art ou d'objets de valeur. Par contre, mes investissements et mon salaire, eux, étaient saisissables. Après discussion, nous nous sommes entendus sur un montant mensuel à payer.

Heureusement, à ce moment, je n'avais pas d'autres créanciers que l'impôt. Pour déclarer faillite, je devais avoir au moins quatre créanciers. Contre mon gré, j'ai donc dû inclure dans cette démarche mon tailleur Henri Vézina, de Laval, à qui je devais un montant minime pour des habits, et mon nouveau comptable, Robert Allard, à qui je devais environ 1 200 $. J'étais forcé de les inclure dans la faillite. Je me sentais malheureux d'avoir à agir ainsi. Heureusement, ils ont compris et sont encore mes amis aujourd'hui. Les mois qui suivirent ne furent pas faciles, je dois l'avouer. J'éprouvais beaucoup de difficulté à vivre avec cette étiquette de "gars en faillite". Mon orgueil et ma fierté en prenaient un coup. Toute l'insécurité qui se rattachait à cette condition était difficile à supporter. Je ne savais pas très bien où j'en étais. Dans un cas de faillite où le salaire est fixe, il est facile d'établir un pourcentage et de fournir des chèques post-datés, mais mon cas n'était pas aussi simple. Il m'arrivait de toucher des montants supplémentaires, pour certains extras, par exemple des galas, des réclames publicitaires ou autres. Je devais réviser régulièrement ma situation avec Robert à propos des montants à donner. Mince consolation: mes relations avec mon syndic étaient cordiales.

Je me souviens d'avoir tourné une publicité pour Diet Coke alors que j'étais en faillite. Malgré les difficultés du moment et la saisie de mes revenus, l'expérience figure en bonne place dans les grands moments professionnels de ma vie. On avait enregistré la pub au Caf'Conc, et celui qui m'avait dirigé était Allan Daviau, le directeur-photo favori de Steven Spielberg. C'est d'ailleurs lui qui avait travaillé sur *E.T.* et plus tard sur *Bugsy*, et sur plusieurs autres grandes productions. Je ne disais qu'une courte phrase. Le tout n'a duré qu'un avant-midi, mais le plaisir de travailler avec des gens de ce calibre a été extraordinaire. Toutefois, j'aime assez me rappeler que sur le cachet brut reçu, après l'impôt prélevé, une fois un pourcentage remis à l'agent négociateur et un autre pourcentage remis au syndic soustraits, j'ai dû sortir de l'argent de ma poche pour payer une partie des frais. Le message publicitaire était prestigieux bien sûr, mais j'ai payé pour le faire.

Tout mon travail étant du domaine public, je ne pouvais — et ne voulais en aucun cas — rien cacher. Même que j'ai pu constater que des fonctionnaires surveillaient mes engagements. À l'occasion de certaines rencontres, j'ai vu des coupures de presse tomber sur la table afin d'appuyer leurs demandes. Toutefois, ces messieurs ne faisaient pas toujours la distinction entre le vrai et le faux véhiculés par les journaux qu'ils semblaient prendre plaisir à consulter. Cette attitude, que je qualifie de mesquine, ne faisait que compliquer la bonne marche du dossier.

Normalement, après neuf mois, on peut déposer une demande de libération de faillite. Le montant de cette dernière étant élevé, on a décidé d'attendre un an avant d'entreprendre la démarche. Mon syndic a réussi à me convaincre que, pour mettre toutes les chances de notre côté, c'était mieux ainsi. J'ai accepté, malgré une légère déception. À peu près au même moment, la chance a semblé vouloir me sourire; ce qui prouve que, dans la vie, malgré les contrecoups, il se crée toujours de belles occasions, des gens extraordinaires s'approchent, se présentent et nous tendent la main. Nous étions à la période de Pâques et, comme nous en avions pris l'habitude, toute l'équipe prenait de courtes vacances en Floride. Je ne pouvais évidemment pas me permettre une telle extravagance, mais l'équipe m'avait offert, après s'être cotisée à mon insu, un billet d'avion pour les accompagner. Je n'avais donc rien à payer pour faire partie du voyage. C'est dans des gestes comme celui-là que j'ai retrouvé confiance en la nature humaine durant ces mois difficiles. C'est surtout dans de tels moments que j'ai compris la valeur réelle de l'amitié pure et désintéressée. C'était plus qu'un cadeau: c'était un geste d'amour.

Jusqu'à ce jour, mes compagnons de travail semblaient être les seules personnes à être au courant que j'étais en faillite. Sans trop savoir pourquoi et à ma grande surprise, durant cette période allant d'octobre 1982 à avril 1983, les journaux n'ont pas fait état de ma faillite. Elle fut cependant rendue publique pendant mon séjour en Floride. La nouvelle a fait la première page, et j'en ai eu connaissance en allant faire une course dans une pharmacie de Fort Lauderdale, où l'on vendait les journaux québécois. Inutile de dire que le coup fut difficile à encaisser, même sous le soleil de la Floride. D'ailleurs, dès ce moment, mes vacances étaient compromises. Voir son nom en première page, accolé à la nouvelle d'une faillite de 400 000 $, ça ébranle son homme... Les journalistes cherchaient à tout prix à me joindre. Pierre Pascau en particulier. Il avait d'ailleurs commencé son émission à CKAC, ce matin-là, en disant: "Le journal nous apprend ce matin que Michel Jasmin a fait une faillite de 400 000 $. Nous avons tenté de le joindre, mais il est présentement en vacances en Floride. Bizarre, n'est-ce pas, pour quelqu'un qui fait une telle faillite de pouvoir se payer des vacances en Floride!?"

J'ai toujours conservé l'enregistrement de ces propos de Pierre. Je ne lui en veux pas pour cette remarque. Nous nous sommes croisés par la suite, et j'ai eu l'occasion de lui en parler. Si j'en fais état aujourd'hui, ce n'est que pour expliquer jusqu'où les journalistes peuvent aller pour créer des remous. Le public a eu une première réaction, mais je n'avais pas l'intention de me justifier. D'ailleurs, de retour au Québec, j'ai pu constater la discrétion du public, qui s'est fait, à tout moment, respectueux... sauf une fois.

C'était l'anniversaire de mon amie Shirley Théroux, et nous étions attablés au restaurant La Boucherie, établissement lui appartenant. J'étais entouré de Shirley et d'une dizaine de convives quand, soudainement, un monsieur s'est avancé vers moi. J'ai cru alors qu'il s'avançait pour saluer Shirley. Il n'en était rien, il s'est tourné vers moi et m'a dit, à voix haute:

— Vous n'avez pas honte de venir vous payer la traite de même avec notre argent!

J'avoue ne pas avoir saisi immédiatement ce qu'il avait derrière la tête. Il a ajouté:

— Si vous aviez payé vos impôts, comme tout le monde, vous n'auriez pas les moyens de venir manger icitte, monsieur Jasmin!

À ma table, tout le monde est resté estomaqué, constatant jusqu'où peut conduire la bêtise humaine. J'espère que ce monsieur lira ces lignes et se reconnaîtra. Je me suis évidemment senti très mal, non pas parce que j'avais fait faillite ou que je me sentais coupable, mais bien parce que j'ai eu pitié de ce bonhomme. Je me souviens d'avoir regardé sa femme de telle façon qu'elle a très bien compris que je la plaignais d'avoir à vivre avec un homme capable d'un geste semblable. Spontanément, Shirley et Diane Bonneau m'ont serré dans leurs bras et m'ont dit:

— Écoute pas ça, ce n'est pas ce que les gens pensent. Les personnes de ce genre ne ressentent pas d'amour dans leur coeur.

Longtemps après cet incident, je me suis reproché de ne pas être resté chez moi ce soir-là. Je m'en voulais d'avoir jeté ombrage sur la fête de Shirley. Cependant, le geste de ce pauvre homme a provoqué plusieurs réflexions positives de ma part. Je me suis dit que je ne voulais pas vieillir ainsi, je ne voulais pas non plus devenir aussi aigri que lui et, surtout, juger sans savoir. Même aujourd'hui, lorsque j'en parle, je ressens beaucoup de tristesse. C'est dire que la blessure était profonde, car elle ne touchait pas que moi, mais aussi les amis qui m'entouraient au cours de cette soirée.

En réalité, la réaction du public était tout autre. Si quelqu'un m'abordait, c'était plutôt pour m'encou-

rager et me motiver à poursuivre, à me battre encore.
Ceux qui n'étaient pas d'accord avec ma situation ne
m'en parlaient simplement pas. Ils avaient la décence
et la charité chrétienne de faire preuve de respect.
Toutefois, à mon retour de voyage et durant des semaines, les journaux en ont encore parlé. Remarquez
que ça faisait changement: j'arrêtais de faire pitié
parce que j'avais eu un accident, maintenant, je faisais pitié parce que je faisais faillite. Enfin, du changement!

Autre belle rencontre dans mon paysage sombre.
Un soir, je me rends à une première — ou était-ce un
lancement? Je ne me souviens plus très bien mais je
me rappelle que je me sentais très triste. La date de
comparution pour la libération approchait, mais le
comptable et le syndic entrevoyaient des problèmes
au cours de ma comparution. Donc, j'assistais à cette
mondanité — une sortie plutôt inhabituelle dans
mon cas. À ma demande, le journaliste Edward
Rémy m'a présenté maître Gabriel Lapointe, un des
avocats les plus respectés de la province. Edward
comprenait bien ce que je traversais, ayant lui-même
vécu des moments difficiles dans sa vie, et Gabriel
Lapointe était un homme pour qui j'avais énormément de respect. Après les présentations, maître
Lapointe a été droit au fait:

— Edward me dit que vous avez de petits problèmes?

J'ai acquiescé et, comme je me sentais en confiance, je lui ai expliqué que j'étais constamment au
bord des larmes, que j'éprouvais des difficultés à travailler, en résumé que je n'étais pas très bien. On
s'est dirigés alors vers une salle adjacente et on s'est
assis face à face. Rapidement, je lui ai fait part du
harcèlement dont je faisais l'objet de la part des mi-

nistères et à quel point ils étaient intransigeants à mon égard. De plus, je l'ai informé que nous étions sur le point de déposer une demande de libération. Je ne voyais pas la fin de ce cauchemar. J'avais les yeux pleins d'eau rien que de lui raconter la situation. Ne voyant pas la lumière au bout du tunnel, je lui ai fait part de ma plus grande angoisse:

— Étant handicapé, comment pourrais-je réussir à recommencer et trouver un moyen d'assurer mon avenir et de me faire une retraite décente?

Gabriel, qui m'écoutait religieusement, m'a alors pris amicalement par le cou et m'a dit avec assurance:

— Michel, inquiète-toi pas, je m'arrange avec ça!

Je connaissais ses honoraires. J'étais lavé. Je ne pouvais donc pas me payer cet éminent avocat, et je le lui ai dit. C'est alors qu'il m'a rassuré en me disant que nous allions nous arranger avec cela en temps et lieu. Ce soir-là, maître Lapointe — que j'ai appris à appeler amicalement Gaby — a pris mon dossier en main.

Ce soir-là, pour la première fois depuis longtemps, j'ai un peu mieux dormi.

Chapitre 9

UN NOUVEAU DRAME

Quelques semaines après ma rencontre avec Gaby, les procédures en cour ont débuté. Premier assaut: nous avons avancé que j'étais handicapé et que mes possibilités d'emploi étaient limitées, les fonctionnaires ont rétorqué que je n'étais pas handicapé et que ma longévité de travail était égale à celle de n'importe quel individu. Inutile de relire, c'est bien ça: je n'étais pas handicapé à leurs yeux. Je fus donc obligé de me soumettre à une expertise médicale approfondie, pratiquée par un médecin employé par le gouvernement, et ce, dans le but d'établir un bilan médical prouvant que je n'étais pas handicapé... Le genre d'examens auxquels j'ai dû me soumettre fut vraiment dégradant. Je m'abstiendrai d'en raconter les détails. Je me contenterai de dire que jamais auparavant, ni depuis, a-t-on scruté mon corps dans ses recoins aussi intimes. Je me suis senti profondément humilié par cet examen. Pourtant, le handicap était évident.

Comme il fallait se présenter en cour avec des résultats d'examens sérieux et crédibles, je me suis donc soumis, pendant deux jours, à une nouvelle batterie de tests avec trois vrais spécialistes — cette fois —, dont je payais les honoraires. Une autre personne m'appuyait à ce moment: Pierre Marcotte. Pierre et moi étions devenus partenaires dans la gestion du restaurant Hélène de Champlain. En fait, je travaillais pour lui et je devais verser une partie de mon revenu au syndic. Pierre a été très présent. Il m'a accompagné en cour pendant ma comparution et il a lui-même témoigné. Nous nous sommes présentés au tribunal et nous avons argumenté devant le juge Greenberg pendant une journée et demie. Ce dernier a entendu Pierre, les comptables, les gens des ministères et le docteur qui m'avait examiné — dont le témoignage fut habilement démoli par maître Lapointe, armé du rapport des trois médecins que j'avais vus — et les fonctionnaires, qui continuaient de s'acharner sur mon cas par la voix de rien de moins que cinq avocats.

Mais revenons à 1983. En utilisant différentes avenues, cet homme et ses lieutenants ont essayé de démontrer au juge que je n'avais pas agi correctement. Ils entendaient prouver que j'étais fautif, alors qu'ils en étaient totalement incapables. Ils n'ont même pas eu la décence de se cacher pour affirmer qu'ils se servaient de moi et de ma cause afin de donner un exemple à tout le monde. En fin d'après-midi de cette première journée de comparution, les auditions ont été ajournées. Heureusement, car je devais me rendre au studio, puisque j'animais mon émission en soirée.

Diane Bonneau, l'une des seules personnes à savoir que j'étais au tribunal durant la journée, avait pris soin de préparer méticuleusement mes dossiers pour les différentes entrevues que je devais faire au cours de l'émission. Cette première journée au tribunal s'était déroulée un jeudi; le lendemain, les mêmes manoeuvres devaient reprendre. Je ne sais trop comment j'ai pu animer mon émission ces soirs-là parce que, pour moi, les arguments des avocats et des fonctionnaires gouvernementaux étaient totalement aberrants, et j'étais terrassé par leurs propos. Je voyais défiler des inconnus, qui s'arrogeaient tous le droit de vie ou de mort sur moi. Le fonctionnaire provincial, que j'avais rencontré à une ou deux reprises depuis deux ans, ne s'était même pas présenté. Heureusement, j'avais eu droit à quelques gains. Entre autres, j'avais pu conserver mon fond de retraite à l'Union des artistes, que les fonctionnaires avaient voulu saisir; sur ordre du juge, on m'avait également laissé ma voiture, puisqu'elle était modifiée pour me permettre de conduire malgré mon handicap.

Nous avons appris par lettre que la décision du juge Greenberg allait être rendue le 8 février 1984. On m'indiquait aussi que je n'étais pas tenu de me présenter au tribunal pour l'occasion. J'ai donc choisi de m'abstenir, puisque je pouvais difficilement en encaisser davantage. Après avoir passé la période des fêtes de 1982 dans l'angoisse de la faillite, j'ai vécu les fêtes de 1983 dans l'attente du jugement, c'était comme si j'avais une épée suspendue au-dessus de la tête. Robert Allard — mon comptable —, Pierre Marcotte, maître Lapointe et son associé, maître André Champagne, allaient me représenter. Bien qu'absent de la salle d'audience, je n'en ai pas moins fait les cent pas dans mon appartement, à La Cité. J'attendais. Finalement, vers midi trente, Robert Allard et Pierre Marcotte sont arrivés.

— Tu es libéré! C'est un bon jugement, m'a déclaré Robert, avec empressement.

— Enfin, tu vas pouvoir reprendre ton travail, soulagé, et te remettre à bâtir, a ajouté Pierre.

Ils devaient ensuite me faire part des conditions de cette libération. Il fallait que je débourse une somme prédéterminée par le tribunal et que j'accepte de voir un autre jugement émis contre moi pour le paiement d'une seconde somme d'argent. De plus, un montant libératoire devait être réglé sur le coup. Le tout s'élevait à plus de 100 000 $. Au téléphone, Gaby m'explique que le jugement est équitable. Le juge Greenberg a vu clair. Dans le prononcé de son jugement en date de novembre 1984, il a reproché aux fonctionnaires de s'être acharnés sur moi. Il a clairement dit que ces derniers et les avocats du ministère ont agi sans discernement, qu'ils n'ont fait preuve d'aucune compréhension. En plus de leur manque total d'ouverture d'esprit, il leur reproche plus que toute autre chose le harcèlement qu'ils m'ont fait subir. Je possède toujours une copie de cette décision, et, chaque fois que je relis ce document, ça me redonne confiance en la nature humaine et en notre système judiciaire.

J'ai donc signé le consentement à jugement. J'ai pris un moment pour profiter d'un peu de répit, enfin soulagé de ce poids qui pesait sur mes épaules. Pierre m'a proposé de devenir actionnaire au Hélène de Champlain. J'ai aussi élaboré différents projets, mais j'étais quand même inquiet, car je ne savais pas si mon contrat à Télé-Métropole serait renouvelé. Deux semaines ont passé. Un bon matin, on sonne à ma porte.

— Monsieur Jasmin, me dit l'homme, puis-je entrer? Je suis huissier et j'ai un document à vous remettre!

Je n'en croyais pas mes oreilles. Tout était réglé, en bonne et due forme. Pourquoi encore un huissier? Je lui ai ouvert la porte, et il est monté. Il m'a remis un document, que j'ai ouvert et lu rapidement. Je n'ai pas très bien compris. J'ai appelé mon syndic, Robert Ste-Marie, et je lui ai lu le document une première fois. Sans m'expliquer encore de quoi il s'agissait, il m'a demandé de lui relire le tout. Ce que j'ai fait. Après quelques minutes, il m'a expliqué la portée de ces nouveaux papiers. Il m'a dit, estomaqué:

— Si j'ai bien compris, Michel, ils vont en appel de ta libération. Le gouvernement refuse la décision du juge Greenberg dans ta cause.

J'étais totalement abasourdi. Robert Ste-Marie m'explique que, en plus de vingt ans de métier, il n'a jamais vu quelqu'un aller en appel d'une libération de faillite. Il m'a suggéré de téléphoner à maître Lapointe. Gaby était tout aussi étonné:

— Michel, m'a-t-il dit, ça fait vingt-sept ans que je pratique le droit, et je n'ai jamais vu ça... Je vais devoir aller fouiller dans mes livres.

L'après-midi même, après lecture du document, il m'a expliqué que, concrètement, j'étais toujours en faillite, la décision du juge Greenberg étant portée en appel. Le cauchemar se poursuivait. Au début du mois de mars, les négociations ont repris entre les différentes parties, et une nouvelle audition a été fixée au mois de décembre 1984. Il y avait alors vingt-six mois que j'étais en faillite, alors qu'une faillite personnelle se règle habituellement en moins d'un an.

Au cours de cette nouvelle saga fiscale, j'ai appris que Télé-Métropole ne renouvelait pas mon contrat. De plus, une fois passé à Radio-Québec, je n'ai pas pu devenir actionnaire de Jastar Télévision, qui produirait ma nouvelle émission de télé *Variétés Michel Jasmin*, parce que j'étais encore en faillite. Plus les mois passaient, plus le gouvernement se faisait intransigeant. Les demandes de précision, de documents, d'états de compte pleuvaient. On me harcelait à un point tel que mon syndic m'a avoué, avec raison, en avoir plein les bras avec mon dossier; Gabriel Lapointe, qui était avant tout un criminaliste et qui m'a appuyé par amitié au début de mes démêlés, s'est dit débordé lui aussi, trouvant la situation nettement exagérée.

Durant l'été, alors que j'étais à Paris pour établir des contacts et faire des entrevues en prévision de la rentrée de *Variétés Michel Jasmin*, Gaby m'a appris que les exigences étaient devenues insensées et qu'il me fallait mettre un terme à tout ça. Calmement, il m'a dit:

— Michel, tu commenceras bientôt une nouvelle saison, et ces angoisses vont te miner. Il faut qu'on prenne une décision. Pense aussi aux honoraires exorbitants des avocats, fiscalistes et autres... Si tu continues à te battre jusqu'en Cour suprême, ce que tu pourrais faire, il y en a encore pour deux, trois ou même cinq ans.

Excédé par l'ampleur du problème, je lui ai demandé:

— Que me proposez-vous?

— Je te suggère d'envisager un règlement hors-cour, m'a-t-il répondu.

Je lui ai donné mon assentiment. Gaby avait ma confiance totale.

À ce moment, les premières vagues causées par l'annonce de ma faillite, des mois plus tôt, étaient choses du passé, et les journaux n'avaient pas annoncé que le gouvernement irait en appel de la première décision. Toutefois, à plusieurs reprises, j'ai été tenté de convoquer une conférence de presse afin de mettre en lumière le harcèlement dont j'étais victime mais, sur les recommandations de mes conseillers, je ne suis jamais passé aux actes. Pourtant, j'étais hors de moi dès que je faisais face à un fonctionnaire. Ils étaient maintenant si disgracieux et irrespectueux qu'ils éveillaient en moi cette colère qui avait jailli lors de ma longue réhabilitation à l'Institut de réadaptation de Montréal. Une seule fois, dans toute cette aventure, j'ai été calme face aux propos d'un fonctionnaire: un jour, en sortant d'une audience, un de ces hommes m'a invité à l'écart pour me confier:

— Je trouve ça terrible ce qu'ils nous obligent à vous faire. Je n'ai cependant jamais su qui étaient ces "ils".

En novembre 1984, Gaby m'a appelé et m'a dit avoir une proposition d'entente de principe avec les gouvernements.

— Ils seraient d'accord si, en plus des premiers montants que tu as été condamné à payer, tu t'engageais à payer un 60 000 $ supplémentaire, m'a-t-il dit.

J'avais alors entamé la production et l'animation de la nouvelle émission, et je n'avais aucune idée si elle allait se poursuivre au-delà des trente épisodes prévus dans l'entente avec Radio-Québec. Je n'avais donc aucune assurance que je serais en mesure de remplir les conditions exigées par les fonctionnaires. J'ai demandé à Gaby de renégocier. Quelques semaines plus tard, on m'a proposé de payer un montant supplémentaire de 45 000 $. Je ne l'avais pas plus. Pour enfin avoir la paix, j'ai avancé la possibilité de payer cette somme en deux versements annuels de 22 500 $. Peut-être que j'y arriverais, mais je tremblais de tout mon être devant cette éventualité, parce que je n'avais aucune idée de ce que me réservait mon avenir professionnel. Et je tremblais encore plus quand Gaby m'a appris qu'ils acceptaient cette nouvelle entente. L'avenir ne m'avait jamais autant angoissé.

Comme j'en étais venu à le croire, pour de multiples raisons, *Variétés Michel Jasmin* a pris fin au mois de mai 1985. Au cours de l'été qui suivit, toujours aux prises avec le règlement de ma faillite, je n'ai rien fait. Je n'ai pas travaillé. J'ai bien participé à quelques émissions à titre d'invité, mais je n'ai perçu aucun revenu régulier. Heureusement, je vivais alors avec quelqu'un qui payait une partie du loyer, et j'utilisais l'argent que je retirais de mes rares présences à la télé pour subvenir aux besoins quotidiens. J'étais au bout de chaque dollar. Quand des amis m'invitaient au restaurant, autre que le Hélène de Champlain, je devais souvent refuser. Heureusement, je recevais toujours quelques invitations pour les premières de spectacles, et ces divertissements me permettaient de m'évader momentanément, ce dont j'avais un pressant besoin.

Ainsi, en avril 1985, après avoir accumulé chaque dollar de chaque cachet, j'ai réussi de peine et de misère à payer les 22 500 $, premier versement exigé par les gouvernements pour le règlement partiel de la faillite. Je n'en demeurais pas moins obsédé par le solde de mon compte en banque, moins de 2 000 $, et aussi par l'idée que je devais amasser un autre 22 500 $ au cours de la prochaine année.

Quand est arrivé le Nouvel An 1986, j'avais difficilement la tête à la fête. Fidèle à mon habitude, j'ai attendu le coup de minuit et je n'ai fait qu'un voeu: trouver du travail. Il y avait maintenant des mois que je n'avais pas travaillé, et je désirais en finir avec tous ces problèmes fiscaux. Mon désir fut à moitié exaucé:

un coup de téléphone de Pathonic-Québec m'a amené à l'animation de *Café Show*, dans la Vieille Capitale. Cependant, une fois avril arrivé, je n'ai pu régler le deuxième versement de 22 500 $ au Ministère du revenu. Ce n'est qu'en novembre 1986, après avoir emprunté l'argent à des amis — parce que je n'avais aucune solvabilité auprès des banques —, que j'ai enfin pu effectuer le deuxième paiement et clore définitivement le dossier. Du moins, l'ai-je cru.

C'est vraiment en m'offrant un contrat honnête que Pathonic est venu me chercher, sachant que j'avais besoin de travailler. Mais j'en étais fort heureux, parce que, si je devais décrocher rapidement un travail pour regarnir mon portefeuille, je me devais également de le faire pour m'occuper la tête. Si je ne m'abuse, c'est Paul Vincent, qui travaillait alors pour Pathonic-Sherbrooke, qui avait suggéré à Jean-Marc Beaudoin, un des directeurs du réseau, de m'embaucher. Jusqu'à ce jour, Paul avait toujours été un bon copain et, plus d'une fois, nous nous étions tendu la main l'un l'autre. D'ailleurs, à peu près au même moment, Paul avait emménagé dans le deuxième appartement que je louais à La Cité. Je l'avais utilisé comme bureau par le passé mais je ne pouvais plus me permettre ce fardeau, et je l'avais proposé à Paul, qui en avait besoin. Il travaillait alors beaucoup à faire connaître son nouveau protégé, Roch Voisine, qui allait bientôt émerger. Un peu plus tard, il m'avait d'ailleurs demandé s'il pouvait acheter les meubles de l'appartement, et j'avais accepté de les lui vendre, à un prix d'ami. Pourtant, un incident qui me reste inexpliqué est venu brouiller les cartes. Dès ce jour, et bien malgré moi, notre amitié s'est complètement érodée. J'espère que Paul lira ces lignes et pourra comprendre dans quel état je suis par rapport à l'amitié qui a déjà existé entre nous. Depuis le moment où il avait été embauché une première fois à CJMS, nous avions été les meilleurs amis du monde. Vincent et Jasmin, nous étions les inséparables: on peut vraiment dire que nous avons fait les quatre cents coups ensemble. Nous avons animé des émissions conjointement à Radio-Mutuel, des shows complètement éclatés. Lorsque j'ai animé mon deuxième téléthon pour la fondation Lucie-Bruneau, il y a quelques années, nous avions invité Roch Voisine — j'ai connu Roch avant qu'il ne soit la superstar qu'il est devenu par l'entremise de Paul —, et il avait gentiment accepté de venir chanter pour nous. Ce soir-là, malgré mon travail d'animateur, j'attendais l'arrivée de Roch et le moment propice pour aller parler à Paul, en coulisses. Hélas! il n'avait pas accompagné son chanteur pour cet événement. Qu'il soit aujourd'hui le gérant de la plus grande star de la francophonie, je m'en réjouis, mais j'aurais aimé lui dire simplement, ce soir-là:

— Paul, je m'ennuie de toi, de mon ami Paul, de cette relation d'amitié que nous avions comme on en établit rarement dans une vie. Je m'ennuie de ces soirées passées à déconner autour de la table.

Je n'ai pas pu le faire et je n'en ai encore jamais eu la chance depuis.

Toujours est-il que je me suis retrouvé, une nouvelle fois, en séjour prolongé dans la Vieille Capitale. Six mois durant, j'ai animé *Café Show* et j'ai habité l'auberge Universelle de Sainte-Foy. Durant l'été, j'ai vécu au bassin Louise du Vieux-Port de Québec, un endroit que j'appréciais particulièrement. Comme je n'avais pas encore eu l'occasion de me faire beaucoup d'amis, j'ai acheté un chien: un berger anglais. Il avait cinq semaines. Il ne me quittait jamais. Je le gardais à l'hôtel. En matinée, il était avec moi sur le plateau de *Café Show*, et, tous les après-midi, nous allions prendre une longue marche ensemble. Il n'y a pas un restaurant de la Vielle Capitale où il ne m'ait pas suivi. Tout le monde connaissait Henri. Tout le monde l'aimait, et, moi, je l'adorais. Je me sentais bien quand il prenait place au pied de mon lit durant la nuit avec sa dinde en peluche, son jouet préféré. Je me sentais loin de tous les tracas qui m'avaient accablé à Montréal, et j'envisageais de m'installer en permanence dans la région. Avant de prendre cette importante décision, j'ai toutefois demandé de rencontrer le président de Pathonic, Paul Viens. Je tenais à en savoir davantage sur les projets de la station, car on m'avait demandé d'être de retour à l'automne. Assis au restaurant L'Élite du Vieux-Québec avec Paul et son comptable, monsieur Lefebvre, je lui ai demandé:

— Est-ce que vous pouvez m'offrir certaines garanties qui me permettraient de m'installer à Québec?

— Tant et aussi longtemps que tu voudras rester avec nous, Michel, tu y auras ta place, m'a-t-il dit.

Ainsi, à la rentrée, l'émission *Via Québec* a vu le jour, et nous avions d'excellentes cotes d'écoute. À la suite de mon entente avec monsieur Viens, les deux parties ont convenu d'une clause précise dans mon contrat, la clause n° 10, qui stipulait que, quoi qu'il arrive, mon contrat ne pouvait être résilié. Rassuré, je suis devenu Québécois d'adoption, et j'ai acheté une propriété très attrayante sur la rue Salaberry. C'était un semi-détaché, qui abritait des bureaux d'avocat. La maison avait une cinquantaine d'années, et son emplacement me plaisait beaucoup. Les pièces étaient grandes, les plafonds très hauts, et j'y retrouvais un escalier qui me rappelait celui de mon ancienne maison de Saint-Basile-le-Grand. Bien sûr, le fait qu'elle soit construite sur deux étages m'inquiétait un peu, mais je voyais son escalier comme une occasion d'exercices quotidiens. C'était une belle maison, mais ce n'était pas du tout le château qu'on a souvent décrit. Des journaux avaient pris des photos de maisons majestueuses, à Québec, et avaient prétendu que c'était la mienne. Par la suite, des propriétaires vexés m'ont appelé à la station pour se plaindre de tels procédés. Encore une fois, on me prêtait un style de vie qui n'était pas le mien. Cette maison, je l'avais avant tout achetée avec très peu de comptant. Des gens que je connaissais à Québec m'avaient même avancé une partie de la mise de fonds initiale, et les négociations avaient été très serrées avec la banque, puisque la faillite me traînait dans le dos.

À Québec, j'étais heureux. Je retrouvais ce sentiment de famille qui me plaisait tant et que j'aimais tellement recréer: j'avais maintenant des amis qui m'entouraient. J'avais le bonheur de revoir Christian Lavoie, un très bon ami de longue date; je découvrais un gars super en la personne de Pierre Gingras, qui est encore aujourd'hui la voix officielle des Nordiques et animateur à la radio. Je découvrais également Michel St-Cyr, un gars aux idées extraordinaires, et Yves Asselin, un gars au sens de la création hors du commun. Je me sentais en confiance entouré de cette gang.

J'ai donc entrepris des travaux de rénovations dans la maison afin de lui redonner son allure de résidence. Les travaux furent très longs, à mon grand désespoir, puisque j'avais des moyens financiers très limités. Quand tout fut enfin terminé, c'est avec bonheur que j'y ai emménagé. Encore une fois, mes meubles préférés se sont retrouvés dans un décor simple mais chaleureux. Je me rappelle avoir décoré la maison à l'occasion des fêtes et y avoir reçu mes premiers invités.

Le 16 janvier 1987, un couple d'amis arrive pour le week-end: ils ont l'intention de faire du ski au mont Sainte-Anne. À leur arrivée, nous partageons une bonne table et un bon vin, sans en abuser toutefois. Après le repas, fatigués, mes copains montent se coucher. Je débarrasse la table puis je m'assois au salon pour écouter de la musique. Peu avant minuit, je décide à mon tour d'aller au lit, fatigué mais sobre. Comme il en a pris l'habitude au cours de la dernière année, mon petit Henri, devenu gros, me suit à ma gauche dès que je me lève. Au cours de ma ronde pour éteindre les lumières et baisser le chauffage, il est à côté de moi. Même si c'était inhabituel pour un chien, je l'avais habitué à me suivre toujours à ma gauche parce que, à ma droite, j'avais toujours ma canne à la main. Tranquillement, je monte l'escalier. Je monte une marche à la fois, déposant mes deux pieds sur chaque marche, tout en prenant soin de bien m'agripper alternativement à la rampe et à ma canne. Après la douzième marche, j'arrive au premier palier, où l'escalier tourne à quatre-vingt-dix degrés. Il faut savoir que, lorsque je monte un escalier, il y a toujours une fraction de seconde où ma canne ne touche pas terre et où ma main ne touche pas à la rampe. Je n'ai donc aucun point d'équilibre le temps que je monte mon autre pied sur la marche suivante. À ce moment précis, mon gros Henri réalise qu'il a oublié sa dinde en peluche au rez-de-chaussée et il décide, dans sa

tête de chien, de faire un virage à cent quatre-vingts
degrés et d'aller chercher son jouet. En se retournant,
il me frappe droit dans les jambes, à la hauteur des
genoux. Forcément, n'ayant aucun appui, je pars à la
renverse, de dos. Je lâche un long cri, je sens mon
coeur qui se resserre dans ma poitrine. Je me frappe
la tête contre les marches, je bascule, et, en débou-
lant, mon pied droit s'accroche dans les barreaux de
la rampe, à seulement trois ou quatre marches du sol.
En fait, il s'est glissé entre deux barreaux et il s'y est
coincé. Mon corps a poursuivi sa chute, et le pilon tibial s'est fracturé sous le choc. Le pilon tibial est l'os
en forme de serre situé au bout du tibia, qui permet
au pied d'être accroché à la jambe et mobile. Le coup
a tout fracturé, arraché. J'ai senti le choc sans toutefois ressentir de grandes douleurs.

Mes amis, qui m'ont entendu crier et débouler, se
sont précipités au bas de l'escalier, où j'étais étendu
sur le dos.

— Michel, as-tu mal à la tête?

— Michel, ne bouge pas! me disent-ils, pendant
que Henri me liche le front comme s'il se sentait coupable.

— Où as-tu mal? me demandent-ils encore.

— J'ai un peu mal à la tête mais je ne saigne pas,
ai-je répondu.

Lentement, j'ai bougé les bras, le torse, la tête; ça
faisait mal, mais je ne semblais pas avoir de fracture.
Après être resté étendu quelques minutes, je leur ai
dit:

— Tout semble ok... Voudriez-vous me prendre
sous les épaules et m'amener jusqu'à mon lit? Je vais
probablement pouvoir dormir.

Ils ont fait une chaise avec leurs bras, et je suis
monté assis. Je sentais bien un léger élancement au ni-

veau du pied, mais sans plus. Ils m'ont déshabillé, et je me suis aussitôt endormi. À la limite, je me demande si je n'ai pas plutôt perdu conscience. Très tôt, le lendemain matin, il devait être près de 6 h, je me suis réveillé, envahi par des douleurs absolument intolérables. Je ressentais des souffrances comme je n'en avais encore jamais éprouvé. Elles provenaient de mon pied droit. J'ai donc levé les couvertures et là, j'ai vu que mon pied était fracturé et formait une angle de quatre-vingt-dix degrés au bout de ma jambe. Un frisson m'a traversé le dos, et j'ai lâché des cris épouvantables: je réalisais que j'avais le pied pratiquement arraché. Mes amis ont accouru sur-le-champ.

— Vite, appelez une ambulance! leur ai-je crié. Vite! Regardez mon pied! Vite, une ambulance!

Incidemment, quand, en 1991, j'ai vu le film *Misery*, avec Kathy Bates et James Caan, — j'ai dû le visionner parce que j'animais la soirée des Oscars en français, à Super Écran —, j'ai souffert le martyre lorsque l'actrice a frappé Caan pour lui fracturer les jambes. J'avais mal. C'était épouvantable!

Je me souviens à peine de mon voyage en ambulance et de mon entrée à l'hôpital. J'étais à demi conscient et surtout obnubilé par l'image de mon pied. Est-ce que j'allais encore pouvoir marcher? C'en était trop. À ce point, ma mémoire me fait défaut jusqu'au moment où je me suis réveillé dans un lit, les barrières latérales remontées. Un sentiment de déjà vu, de déjà vécu, m'a envahi... J'avais subi une première intervention au pied, des amis étaient à mes côtés, et je hurlais de douleur.

Malgré tout, j'avais une autre préoccupation pressante: rejoindre le directeur de la programmation de Télé-4. Je pensais à mon emploi, et encore plus à mes revenus. J'ai donc demandé qu'on m'apporte un téléphone. Yves Asselin ou Michel St-Cyr, je ne me souviens plus très bien qui était à mes côtés, a joint Patrick O'Hara de Télé-4, pour moi. Quand j'ai pris l'appareil, je lui ai dit que j'avais été victime d'un accident — il le savait déjà — et que je ne pourrais pas être en studio le lundi suivant. Il m'a dit:

— Ne t'en fais pas. Prends le temps de récupérer, nous avons des émissions en boîte pour deux ou trois semaines.

J'appréciais mais je lui ai fait part de ma plus grande inquiétude:

— Et mes cachets?

Je savais que je n'avais pas d'argent à la banque à cause de mon dernier paiement de libération de faillite moins de deux mois auparavant, que les rénovations de la maison s'étiraient indûment et que l'hypothèque devait malgré tout être réglée à la fin du mois.

— Ne te préoccupe de rien, m'a-t-il dit. Occupe-toi de guérir. Il n'y a aucun problème avec les enregistrements ni avec ton salaire.

Rassuré, je me suis rendormi. Lorsque je me suis réveillé à nouveau, j'étais dans une chambre privée.

Quand les spécialistes m'ont appris l'ampleur des dégâts, j'étais sous l'effet de sédatifs. J'ai compris que la fracture du pilon tibial était une fracture peu fréquente et que, depuis l'accident de 1973, j'avais les os en très mauvais état; ils étaient décalcifiés, très faibles, ma fracture était donc particulièrement alarmante. Au total, en une dizaine de jours, il a fallu sept opérations sous anesthésie générale, dont trois ou quatre ont duré plus de huit heures, afin de tenter de reformer mon pied et surtout de juguler l'infection. Je me souviens que, seulement six heures après la quatrième ou la cinquième opération, les deux médecins étaient venus observer le résultat. Même s'ils insistaient souvent pour m'expliquer les différentes interventions, je n'ai jamais pu ni voulu regarder mon pied. Depuis ce jour où je l'avais vu complètement disloqué sous mes draps, je ne pouvais plus le regarder, et il en fut ainsi durant plus d'une année. Après analyse, ils m'ont dit:

— Écoute, Michel, il faudrait qu'on te redescende à la salle d'opération.

Les os ne se ressoudaient pas, et la plaie ne se refermait pas à cause de l'infection qui persistait. On m'a alors expliqué que j'étais atteint par le staphylocoque doré: une bactérie causant ce qu'on appelait autrefois l'ostéomyélite, dont mon père avait été victime dans sa jeunesse. Il s'agit d'une infection qui s'attaque aux chairs et qui fait son chemin jusqu'à la moelle des os. J'écoutais mais je n'en pouvais plus, et j'ai éclaté en sanglots.

— Je n'ai plus de résistance, plus de moyens de défense. Je ne veux pas, je ne veux plus... ai-je lamentablement laissé tomber.

Je revoyais l'enfer que j'avais déjà vécu: je ne voulais et surtout ne pouvais plus le revivre.

Chapitre 10

LE RETOUR À MONTRÉAL

À l'Hôtel-Dieu de Québec, je renoue avec un environnement encore trop présent à mon esprit, un monde que je ne connais que trop bien. Je ne peux en prendre plus, et cette évidence se manifeste rapidement. Quelques minutes avant la sixième opération, une infirmière vient dans ma chambre pour m'administrer le Démérol et l'Atarax qui doivent m'engourdir et me rendre nonchalant. Ces substances sont ajoutées à mon soluté, que j'absorbe par voie intraveineuse. L'effet tarde à se faire sentir. Quand on vient me chercher pour m'amener au bloc opératoire, je suis parfaitement conscient. Je vois l'ascenseur, les gens qui me transportent, j'entends tout très clairement. J'essaie d'en aviser les infirmiers, mais on n'accorde aucune attention à mes propos, si bien que je me retrouve dans la salle d'opération, totalement lucide. Je vois les médecins qui se préparent, je sens la froideur de la table. L'anesthésiste travaille à six pouces de ma figure. Je le vois ouvrir une valve qui doit envoyer une nouvelle dose de xylocaïne dans mon organisme pour m'endormir, profondément cette fois. Parce que je sens les mouvements au niveau de ma hanche, j'ai conscience qu'on bouge ma jambe. J'entends également les spécialistes qui donnent des directives aux infirmières. Enfin, je dis à l'anesthésiste:

— Est-ce normal que j'entende et que je sente tout ce qui se passe?

En sursautant, il me dit:

— Mais qu'est-ce que vous faites là? Mais qu'est-ce qui se passe avec vous? Vous êtes supposé être endormi!

Pour la première fois, on réalise que je ne suis ni endormi ni même dans les vapeurs. Les médecins ont peine à comprendre ce qui arrive mais ordonnent qu'on augmente la dose. Il a fallu quadrupler la quantité d'anesthésiant pour enfin pouvoir m'endormir. J'avais tellement reçu de substances anesthésiques au cours de la dernière semaine que mon corps ne réagissait plus. Il combattait férocement les nouvelles interventions. Quand je me suis réveillé, deux jours plus tard, j'étais complètement perdu. Je ne savais plus quel jour nous étions ni même en quelle année.

J'ai repris lentement mes sens, et, quelques jours plus tard, mon emploi m'a de nouveau préoccupé. Je venais de réaliser que mon employeur ne me payait plus. Après vérification, il était clair que Pathonic n'avait pas tenu promesse. Sans que je sache pourquoi, Patrick O'Hara a nié m'avoir donné sa parole que j'allais être rémunéré quand même, selon les termes de mon contrat. Qu'à cela ne tienne, cette clause était écrite, et plus tard j'ai fait parvenir une mise en demeure à la station. D'autant plus que j'avais la preuve que, durant mon hospitalisation, mes chèques avaient été émis même si je ne les avais pas touchés. Quant à l'émission *Via Québec*, une fois les émissions pré-enregistrées diffusées, les téléspectateurs ont trouvé Dominique Michel à l'animation, même si j'apparaissais toujours dans le vidéo d'ouverture. Ensuite, il y a eu Suzanne Lapointe, Danielle Ouimet, Serge Bélair et quelques autres, jusqu'à ce que la série prenne fin. Tous ces collègues me saluaient à l'antenne, et, malgré l'imbroglio avec la direction, j'ai même reçu la caméra de l'émission dans ma chambre d'hôpital. Toutefois, l'angoisse quant à mon avenir m'était plus lourde que jamais à supporter.

À ce moment de mon existence, j'ai à nouveau ressenti que la seule libération qui me restait était la mort. J'avais l'impression que je ne m'en sortirais jamais. Qu'il n'y avait plus de recours. J'étais vidé mais j'attendais malgré tout que la porte de ma chambre s'ouvre et que les spécialistes viennent observer mon pied pour ensuite livrer leur verdict. Je commençais à connaître le scénario et, quand on me disait que ça n'allait pas mieux, je ne réagissais même plus. J'avais décroché.

Au début de mon hospitalisation, en plus de mes nombreux visiteurs, j'avais un problème avec les autres visiteurs de l'hôpital, qui jetaient inévitablement un regard dans ma chambre. Ce geste se produisait sans arrêt et m'incommodait. La direction de l'hôpital est donc intervenue et a accroché à ma porte un écriteau rouge, où l'on pouvait lire: "Danger, infection". On aurait pu tout aussi bien le changer pour: "Danger, infecté par le désespoir. Mourant"...

Comme si ce n'était pas assez, un autre problème allait se joindre aux autres. Durant mon hospitalisation, un ami devait s'occuper de ma maison. Cependant, après quelques jours, il avait abandonné les lieux, et Henri y était demeuré seul pendant six ou sept jours. De plus, des meubles et d'autres objets avaient disparu en même temps que mon "homme de confiance". Heureusement que Pierre Gingras avait eu conscience de cette absence et était intervenu. Il avait donc eu la pénible tâche de m'apprendre que la maison avait été saccagée et que de nombreux objets avaient disparu. C'est sa compagne, Diane, et lui qui ont accepté d'héberger Henri, au grand bonheur des deux fils de Pierre. Ils ont aussi veillé sur la maison jusqu'à ce qu'un autre ami, Yves Asselin, aille y vivre quelque temps. Il s'était momentanément retrouvé sans toit, et j'avais offert de lui laisser la maison. J'étais rassuré, sachant les lieux habités. De plus, il assumait une partie des responsabilités financières; ce qui tombait pile. Bien que nous ayons très peu travaillé ensemble, Pierre a été plus qu'un ami à Québec, il a été un frère. Durant les moments difficiles, me sentant sans ressources et totalement vulnérable face aux événements, je m'en suis beaucoup remis à lui. Et à Yves Asselin. J'étais loin de mon amie Diane, qui était à Montréal.

Quant à Stéphane, mon "homme de confiance", il avait utilisé la maison pour y faire quelques parties. Quand Pierre s'y était présenté, il avait déjà disparu; la cave à vin était vide, et la maison ressemblait davantage à un champ de bataille qu'à une résidence. Il y avait des mégots de cigarettes et des bouts de joints partout, des bouteilles de bière et de vin vides. On avait même retrouvé des draps brûlés. J'ai dû engager une équipe de nettoyage pour tout remettre en ordre. De plus, pour se sortir d'une impasse financière dans laquelle il se retrouvait, bien malgré lui, Stéphane avait imité ma signature sur quelques chèques. Deux ou trois jours après mon hospitalisation,

Stéphane était venu me voir avec quelques factures à payer. Quand j'avais signé les chèques pour Bell Canada et Hydro-Québec, il avait eu un spécimen de ma signature et avait réussi à l'imiter. Après avoir appris par les journaux que j'étais hospitalisé, la gérante de ma banque s'est aperçue du tour de passe-passe, et elle est venue me rencontrer à l'hôpital afin de tout régler.

Je ne tenais pas particulièrement à porter plainte contre Stéphane, mais j'ai dû agir ainsi pour que mes assurances me remboursent une partie du vol. Près de 15 000 $ d'objets divers avaient disparu, et Dieu sait que je ne pouvais pas me permettre cette perte. C'est précisément cette histoire que certains journaux ont pris un malin plaisir à raconter et à déformer. Le policier qui s'est occupé du dossier a été très correct avec moi. Il m'avait bien expliqué que, si je portais plainte, la chose devenait publique, et les journaux pouvaient s'emparer de l'affaire.

— Et surtout, avait-il ajouté, il faut envisager que ça sorte tout croche et que vous fassiez l'objet d'une polémique...

De fait, certains scribouilleurs ont été très méchants. Des énormités ont été écrites à la suite de cet épisode. Lorsque j'ai repris mes forces et mon travail, quelques mois plus tard à Montréal, j'ai aussi repris contact avec Stéphane. Je tiens à dire que j'ai alors réalisé qu'il n'était pas aussi coupable que je l'avais cru. Si jamais d'autres énormités étaient rapportées, nous nous sommes entendus pour faire front commun contre toute personne ou publication qui s'aviserait de donner dans le sensationnalisme. Pourquoi une telle entente? Parce que cette rencontre avec Stéphane m'a aussi permis d'apprendre la vérité. Durant mon hospitalisation, il s'était mis naïvement à fréquenter un groupe peu recommandable, et les membres de ce groupe l'avaient incité à consommer de la cocaïne, chose qu'il n'avait encore jamais faite à ma connaissance. Des plaintes ont été déposées au criminel. Une fois arrêté, Stéphane, dans toute sa candeur, avait refusé de dévoiler l'identité des vrais voleurs. Il s'agissait de deux jeunes hommes de la région de l'île Verte. Ces derniers peuvent se compter chanceux que je n'aie jamais porté plainte, même si je connais leur identité. Je m'en suis bien sûr voulu d'avoir douté de Stéphane, bien qu'il ne puisse être blanchi complètement. Sachant qu'il avait été entraîné par d'autres, j'ai été secoué par les gestes qui avaient été posés.

Alors qu'avant ma chute dans l'escalier tout semblait enfin vouloir redémarrer, maintenant je ne voyais plus la fin des problèmes. Je ne voyais pas ce qu'il pouvait y avoir de positif dans ce nouvel accident et dans ce séjour à l'hôpital, qui semblait interminable. La routine et le découragement se sont alors installés. Ma vie est devenue visites quotidiennes des spécialistes, changements de pansements et administration de nouveaux médicaments. C'est ainsi que l'hiver a pris fin pour céder la place au printemps. Je me souviens, entre autres choses, que la fenêtre de ma chambre donnait sur le Vieux-Port et que, ce printemps-là, nous avions eu de très belles journées, particulièrement tôt dans la saison. Je regardais les gens passer sur les promenades en t-shirt et je déprimais encore plus. Ce n'est qu'en mai que j'ai enfin pu obtenir mon congé, même si l'infection n'était toujours pas maîtrisée. J'ai été heureux de retrouver ma maison, dont je n'avais pas encore eu le temps de profiter, et une infirmière y venait quotidiennement pour désinfecter la plaie et refaire le pansement. Si j'étais toujours sans travail, j'entretenais un espoir secret: je croyais et j'espérais que Pathonic me rappellerait. Je me souviens même d'avoir envisagé bien naïvement la possibilité que mes chèques avaient été retenus pour des raisons juridiques et que la station attendait mon retour à la santé avant de me les remettre. Cet espoir s'est vite éteint, et j'ai à nouveau envisagé le recours aux tribunaux. C'est un coup de téléphone de Montréal qui m'a permis de m'accrocher à la vie. André Picard et René Gilbert, de Télévision Quatre Saisons, me disent que leur station entend présenter un nouveau talk-show, et ils aimeraient que je l'anime. Enfin, une bonne nouvelle. Comme il n'arrive jamais rien pour rien, je crois que le fait d'avoir été à nouveau présent dans les médias à cause de mon accident m'a permis de rappeler mon souvenir aux décideurs de Montréal. On m'annonce donc que le projet pourrait naître dès le mois suivant. Finalement, je ne m'accroche pas à la vie: je reprends vie, une fois de plus.

Messieurs Picard et Gilbert viennent me rencontrer à Québec. Ils se rendent compte que je ne suis pas au sommet de ma forme, mais ils voient combien je suis enthousiaste à l'idée de revenir à la télé. Nous négocions donc une entente et nous discutons ensuite de la formule de l'émission, qui devrait être présentée de 18 h 30 à 19 h 30. Ils me quittent, et on s'entend pour communiquer la semaine suivante afin de confirmer le tout.

Entre-temps, j'ai revu mon médecin à l'Hôtel-Dieu. Après examen, il m'a dit:

— Le staphylocoque doré, ça va très mal. Je crois qu'il va falloir réopérer.

Sans même hésiter, je lui ai dit que c'était impossible.

— Je viens d'avoir un contrat pour la télévision, je retourne à Montréal faire le métier que j'aime le plus. Je pense sincèrement que retourner au travail va aider à ma récupération physique.

Le docteur a insisté, m'expliquant les dangers de repousser cette nouvelle intervention. C'est ainsi que je me suis retrouvé sur la table d'opération et que j'ai encore reçu une dose massive de médicaments pour m'endormir. J'avais aussi un nouveau médicament antibiotique à absorber par voix orale. "Peut-être est-ce celui qui m'aidera à guérir cette plaie", me suis-je dit, même si je ne mangeais plus tellement, car toutes ces substances affectaient mon organisme. Sur ce, on m'apprend que je suis attendu à une première réunion de production pour l'émission, provisoirement intitulée *Le Talk-show Jasmin*. La direction de TQS apprend que je suis hospitalisé, mais on n'a aucune idée de la gravité de ma condition. Personne ne sait que je souffre d'une infection qui n'est pas maîtrisée, ce qui me rassure un tant soit peu. J'ai tellement insisté auprès du médecin responsable pour quitter les lieux que je crois qu'il a signé mon congé malgré lui. Toutefois, on m'a imposé une condition: je devais être admis à l'Hôtel-Dieu de Montréal dès mon arrivée en ville. Ce qui m'a permis à plusieurs reprises de faire la blague suivante: "Moi, j'ai fait la tournée des hôtels de la province, les Hôtel-Dieu..." Je suis sorti de l'hôpital les béquilles sous le bras, parce que j'avais renoué avec les appareils orthopédiques qui, depuis ma chute dans l'escalier, m'étaient devenus essentiels pour me déplacer. Je portais également une grosse botte de fibre de verre, qui maintenait mon pied en position fixe.

À Montréal, j'ai réuni autour de moi Denise Goulet, René-Pierre Beaudry, Jean Lorrain et quelques autres personnes avec qui j'avais déjà travaillé: une équipe gagnante. J'ai également soumis à la direction les candidatures d'Yves Asselin et de Pierre Gingras. Yves m'a suivi et a assisté aux premières réunions où, entre autres, on a confirmé que la nouvelle émission allait officiellement s'intituler *Jasmin Centre-Ville*. À la suite de mon travail à *Via Québec*, j'avais découvert un homme d'une grande bonté: Maurice "Mad Dog" Vachon. Il animait avec moi une capsule qui s'intitulait *L'Inspecteur Gourmet*, et j'ai insisté pour qu'on lui fasse une place à *Jasmin Centre-Ville*. Comme le décor de l'émission rappelait un *penthouse* d'un grand édifice, nous avons pensé qu'il serait cocasse de voir cet ancien champion lutteur, des plus sympathiques, devenir mon maître d'hôtel. Ainsi, tous les jours ou presque, Maurice apparaissait par l'ascenseur, une partie intégrante du décor, et se mêlait aux invités. En général, la formule était appréciée, et les côtes d'écoute grandissantes.

À l'Hôtel-Dieu de Montréal, j'étais dans une partie de l'édifice où dix-huit lits étaient réservés aux cas graves d'infection. À cette époque, les personnes atteintes du sida étaient également confinées à cette section, où tous les visiteurs devaient porter un masque et des vêtements aseptisés. Il a fallu, bien sûr, peu de temps avant que coure la rumeur voulant que je sois sidatique. Tout ça parce qu'un journaliste dont je tairai le nom avait écrit en gros titre dans les pages d'un journal de Québec: "Michel Jasmin: "Non, je n'ai pas le sida." Je n'avais pas été particulièrement affecté par les conséquences de cet article, mais mes parents et ma famille avaient été ébranlés.

Je profitais d'une entente spéciale avec la direction de l'hôpital, qui me permettait de sortir de trois à quatre heures par jour. Lors de mon arrivée à Montréal, je sortais de l'institution en matinée pour assister aux réunions de production. Lorsque l'émission a débuté, je sortais en début d'après-midi pour enregistrer quotidiennement une heure de télé. Je me déplaçais alors en taxi. Si la voiture qu'on m'envoyait était verte, je refusais encore d'y monter. Je commençais à peine à tolérer les vêtements verts. Je portais des cathéters dans les bras. Avec les cathéters, on pouvait enlever les aiguilles qui m'alimentaient en antibiotiques et en sérum lorsque je quittais l'hôpital, et on les rebranchait à mon retour sans avoir à chercher une veine. C'est pour cette raison que je portais toujours des chemises à manches longues à *Jasmin Centre-Ville*.

La chambre d'hôpital est devenue ma maison. Bien sûr, ce rythme de vie inhabituel embêtait un peu mes médecins et compliquait la vie de l'équipe de production de l'émission, mais tous se faisaient tolérants et compréhensifs. À certains moments, les recherchistes se retrouvaient même dans ma chambre pour y tenir des réunions de travail. En soirée, j'écoutais souvent les disques et les cassettes des invités que j'allais recevoir dans les jours à venir. Ce manège a duré quelques mois, jusqu'à ce que j'obtienne enfin mon congé.

Le seul avantage que j'ai pu voir à cette vie hors de l'ordinaire, c'est que j'avais peu de dépenses. Heureusement, puisqu'il a fallu trois ans avant que ma maison de Québec ne soit vendue. J'ai donc dû payer l'hypothèque, jusqu'à ce que j'accepte de louer la maison, pour le même montant mensuel, à Mario Pelchat, quelqu'un en qui j'avais une entière confiance. Mario allait vivre plusieurs mois à Québec, où il allait animer une nouvelle émission le midi. D'ailleurs, quand un acheteur sérieux s'est enfin manifesté, j'ai fait en sorte qu'il accepte que Mario demeure son locataire jusqu'au printemps parce que j'avais promis la maison à ce dernier pour toute la saison. Mario m'avait dit de ne pas compromettre la vente à cause de notre entente, mais je lui avais répondu que, pour moi, parole donnée, c'était sacré.

De mon côté, je n'avais plus de place pour vivre à Montréal. Encore là, la vie a bien fait les choses. Sur le plateau de *Jasmin Centre-Ville*, j'ai retrouvé mon amie Michèle Richard. Après lui avoir raconté que mes meubles étaient encore à Québec et que j'allais quitter l'hôpital incessamment, elle m'a offert d'aller vivre quelque temps, moyennant une mensualité amicale, dans son condominium de l'Île-des-Soeurs, un appartement qu'elle habitait rarement. J'ai emménagé avec une simple valise contenant quelques effets personnels. J'avais très peu de vêtements, car, à cause de l'énorme botte de fibre de verre que je traînais au pied, tous mes pantalons devaient être décousus afin que je puisse les enfiler. Quant à ma garde-robe pour l'émission, la boutique Perreault de Québec me prêtait des vêtements en échange d'une mention au générique. Je me sentais bien chez Michèle, et j'ai rapidement apprécié la quiétude d'une demeure privée. Cependant, tous les matins, je retrouvais le même manège que par le passé: une infirmière venait à l'appartement pour nettoyer la plaie et changer le pansement, puisque le staphylocoque doré était toujours présent. Cette situation m'inquiétait, mais je faisais un travail qui me passionnait, j'avais un bon moral et je restais optimiste. Je ne ressentais pas toujours toute la pression que ma condition physique m'imposait parce que je me tenais très occupé. Inconsciemment, si je peux dire, j'oubliais les conséquences de cette infection.

Toutefois, quand la direction de Télévision Quatre Saisons m'a annoncé qu'elle conservait *Jasmin Centre-Ville* à l'horaire de la grille d'automne, j'ai pris ma condition physique beaucoup plus au sérieux. Je suis donc descendu à Québec le premier week-end d'octobre en compagnie de Serge, un copain avocat, pour rencontrer mon médecin, exceptionnellement disponible en cette fin de semaine de l'action de grâces. J'étais assis dans sa salle d'examen, il observait mon pied. Je tremblais de tout mon être.

Le docteur André a relevé la tête, m'a regardé droit dans les yeux et m'a dit:

— Après les nombreuses interventions, la situation ne s'est pas du tout améliorée. Michel, il ne nous reste qu'une solution: c'est l'amputation.

Le verdict est tombé comme vingt-cinq tonnes de briques. Il y avait quatorze ans que je me battais pour sauver mes deux jambes, pour les faire fonctionner, pour devenir autonome, et ce médecin m'annonçait qu'il fallait m'amputer!

— Si tu te décides rapidement et qu'on peut agir vite, nous t'amputerons en bas de la rotule. Ainsi, tu auras toujours ton genou et son mouvement pour t'aider à faire ta réhabilitation avec une jambe artificielle.

J'ai le visage pétrifié. Je me sens mourir. Je pleure.

— Comprends, Michel, a-t-il poursuivi, qu'on t'enlève un membre inutile. C'est une partie de ton corps qui te fait souffrir et qui n'est plus récupérable. Cette jambe-là ne te servira plus jamais à rien.

Je pleure à chaudes larmes mais j'argumente quand même.

— Je te comprends, Michel, mais médicalement la vision des choses est tout autre. Je te demande d'être réaliste et de prendre une décision avant que l'infection ne s'attaque au genou.

Nous convenons de nous rappeler après m'être accordé un moment de réflexion. J'ai pleuré tout le long du trajet de Québec à Montréal. En fait, j'ai pleuré pendant trois semaines. Les seuls moments où je m'imposais une retenue, c'était en studio. Mais j'avais les yeux si bouffis qu'il était évident qu'il se jouait quelque chose de dramatique dans ma vie. Cependant, je n'en parlais pas. Je refusais d'en parler parce que je refusais d'y croire. Il n'y avait que Serge qui était au courant, et, tous les soirs, il me rendait visite au condo pour essayer par tous les moyens d'amener une forme de sérénité dans mon quotidien. Serge est un des êtres précieux dans ma vie et cher à mon coeur. J'aurais pourtant dû savoir qu'il y avait toujours une place pour l'espoir...

C'est la présence d'Anne-Marie Tougas dans mon milieu de travail qui a été l'élément déclencheur d'une nouvelle ouverture. Anne-Marie, qui avait déjà été ma recherchiste, fréquentait alors un médecin. Même si elle occupait maintenant de nouvelles fonctions à TQS, nous échangions encore beaucoup. Un jour, je l'ai prise à part et je lui ai dit:

— Anne-Marie, j'aimerais parler à l'amie que tu es. Je ne voudrais pas que la directrice-télé juge de mes capacités au travail après ce que je vais te confier. On m'a diagnostiqué une amputation de la jambe droite, et cette éventualité m'obsède; j'aimerais que tu en parles à ton copain. Peut-être pourrait-il intervenir d'une façon quelconque?

Elle m'a dit que son copain rencontrait souvent, à l'hôpital où il travaillait, un très grand spécialiste, le docteur Louis-Joseph Papineau, et qu'elle allait tenter d'organiser une rencontre. J'avais déjà entendu parler de ce monsieur, une sommité dans le domaine de l'orthopédie, qui était professeur et donnait des conférences partout dans le monde, en plus d'écrire des ouvrages sur le sujet. Je m'accrochais à cet espoir et, en même temps, je doutais que cet homme ait du temps à me consacrer. Quelques jours plus tard, Anne-Marie est revenue dans ma loge avant l'émission pour m'annoncer que le docteur Papineau était prêt à me recevoir:

— Il te suffit, m'a-t-elle dit, d'appeler sa secrétaire, Mme Côté, à l'hôpital Sainte-Jeanne-d'Arc, pour fixer le rendez-vous.

Encore une fois, un ouragan d'espoir est venu soulever ma vie. Le docteur Papineau est un homme qui parle tout bas, qui ne parle jamais pour ne rien dire et qui a l'allure d'un savant qui ne quitterait jamais son laboratoire. J'étais excité et intimidé par sa présence. Je lui ai expliqué ma condition. Quand est venu le moment de parler d'amputation, il a réalisé que j'étais totalement désemparé. Hélas! Je commençais très lentement et inconsciemment à me faire à l'idée que l'amputation était la solution, mais je ne m'y étais toutefois pas résigné. Il y avait toujours cette petite voix intérieure qui me disait: "Non! Non! Non! Continue de te battre." Nous sommes passés à l'examen et j'ai retiré ma botte de fibre de verre. Il a enlevé les pansements et a longuement observé la plaie ouverte. Je ne pouvais toujours pas regarder mon pied. D'autant plus que je savais qu'il n'avait plus la forme d'un pied. Après les nombreuses interventions chirurgicales, les malléoles de chaque côté n'étaient plus apparentes, j'avais les chairs pendantes et meurtries, et j'avais une large cavité sur le dessus du pied. Tout mon espoir résidait dans les quelques mots qu'il alignerait une fois que nous serions retournés à son bureau.

Avec un grand respect, il m'a dit:

— Je ne veux pas contredire l'opinion de mes confrères, mais je pense qu'ils ont peut-être précipité un peu leur diagnostic. Il y aurait possiblement une autre étape à franchir avant d'en arriver à cette solution qu'est l'amputation.

Je me suis avancé sur le bout de ma chaise et j'ai déposé un genou au sol. Les yeux roulant dans l'eau, encore une fois, je lui ai dit:

— Mais tout ce que vous dites, docteur Papineau, est au conditionnel... Je vous en supplie de tout coeur, avec tout ce qu'il me reste d'énergie et d'espoir en moi, je vous en supplie, acceptez de m'opérer à nouveau.

— Écoutez, monsieur Jasmin, m'a-t-il répondu, je ne peux vous dire aujourd'hui si j'accepte de vous opérer. Je dois en savoir plus sur votre dossier. Première étape, vous allez passer une artériographie à l'hôpital Notre-Dame. Je ne vous opérerai pas si vos artères ne sont pas en bon état. En deuxième lieu, si vos artères sont en santé et que j'accepte de vous opérer, vous allez devoir vous soumettre à la lettre à la moindre de mes directives, tant et aussi longtemps que j'en aurai à vous donner.

Spontanément, je lui ai répondu:

— Oui, je ferai tout ce que vous voulez.

Quand j'ai quitté son bureau, je vivais dans l'inquiétude de savoir si mes artères étaient en bon état. Quelques jours plus tard, j'étais étendu sur une table, et on prenait les radiographies en question. Je devais rester immobile, incliné à quarante-cinq degrés, durant deux heures, afin que le liquide qu'on m'avait injecté s'élimine de mon corps. Après une heure d'attente dans cette position, j'ai expliqué au radiologiste que j'étais terriblement fébrile et que j'aimerais voir les résultats de l'examen. Il m'a dit que ce n'était pas la procédure, mais il a accepté. Il a quitté la salle et est revenu avec une grande enveloppe.

Sur un écran lumineux, il a aligné les radiographies de ma jambe. Dès que les quatre clichés ont été en place, il m'a dit:

— Mais vous êtes un non-fumeur, vous!

Juste en observant les artères de mes jambes, il pouvait dire que je ne fumais pas. Celles d'un fumeur auraient été beaucoup plus détériorées, m'a-t-il expliqué en me montrant les radiographies d'une jambe d'un fumeur: il avait les artères toutes déchiquetées. J'étais abasourdi mais, en même temps, je me rendais compte qu'il y avait de bonnes chances que le docteur Papineau accepte de m'opérer. Inutile de dire que j'ai remercié le ciel d'avoir eu, cinq ans plus tôt, la chance d'arrêter de fumer. En fin de journée, le docteur Papineau m'a appelé chez moi et m'a dit ce que je souhaitais entendre: il acceptait de m'opérer. L'objectif était maintenant de me reconstruire une cheville afin de remettre mon pied en bon état.

Je suis entré à l'hôpital le 9 décembre 1988. Nous avions pré-enregistré plusieurs émissions, ce qui me permettait de profiter d'un congé d'un peu plus d'un mois. Ainsi, à partir de poudre d'ossements prélevée ailleurs sur mon corps et mélangée à des liquides également prélevés sur mon corps, le docteur a appliqué sa technique révolutionnaire pour reconstituer mes os. Au cours de la même opération, tous les tissus infectés ont été enlevés, et un chirurgien esthétique, le docteur Charbonneau, a redonné à mon pied sa forme initiale. C'est probablement cette technique Papineau qui a sauvé mon pied et ma jambe. De plus, ses directives strictes ont eu, elles aussi, un effet très bénéfique. L'une des premières conditions était que personne ne devait savoir où j'étais hospitalisé. Mon nom ne figurait donc pas dans le registre de l'hôpital, et le numéro de téléphone de ma chambre était ultra-privé. Seule mon amie Diane, qui m'avait conduit à l'hôpital après deux enregistrements, savait où je me trouvais. Toutes mes énergies ont donc été concentrées sur ma guérison, ce que je n'avais pas fait pendant les mois d'hospitalisation à Québec.

Durant ce mois, isolé, j'ai lu, j'ai regardé la télévision. J'avais un excellent moral puisque j'avais une grande confiance en ce spécialiste. À la période des fêtes, j'ai eu droit à une autorisation spéciale, et Diane a passé la soirée de Noël avec moi. Très exceptionnellement, la veille du jour de l'An, mes amis qui étaient chez moi le jour de ma chute sont venus me visiter. Fidèles à la tradition, nous avons ouvert une bouteille de champagne. Je me rappelle m'être à peine mouillé les lèvres dans la coupe. Ils avaient dû quitter avant le coup de minuit, et j'avais attendu seul que le Nouvel An arrive avant de fermer les yeux. Quand je suis sorti de l'hôpital, je n'étais pas radieux, je dois l'avouer, mais j'étais sur la voie d'une guérison complète. Le personnel de l'hôpital m'avait si bien traité que c'est quand même avec un petit pincement au coeur que je les ai tous salués. Ainsi, en un mois, j'avais réussi à refermer une plaie qui n'avait pu guérir au cours des onze mois précédents.

Je sortais avec des béquilles, c'est entendu, mais sur mes deux jambes quand même.

Chapitre 11

L'ALCOOL

Quelques semaines après l'opération pratiquée par le docteur Papineau, j'ai pu me débarrasser de l'encombrante botte de fibre de verre et la remplacer par un appareil plus léger. Un appareil que j'utilise encore aujourd'hui et qui me permet de porter des espadrilles; j'en ai même des noires, qui font parfois office de souliers de gala. Compte tenu que je ne sens pas mes pieds, je dois porter un soulier qui les protégera bien contre le froid et les blessures, parce que la moindre petite plaie pourrait avoir de graves conséquences. Il n'y a pas très longtemps, j'ai marché sur un clou, et ce n'est que deux jours plus tard que j'en ai eu connaissance, lorsque j'ai remarqué quelques taches de sang ici et là sur la moquette du salon. Heureusement, ça n'a pas eu de conséquences. L'année qui a suivi l'intervention chirurgicale, j'ai dû voir le docteur Papineau tous les mois; maintenant, je le vois une fois par année, en principe...

TQS avait décidé de conserver *Jasmin Centre-Ville* pour la saison d'automne, et j'en étais ravi. Cependant, je n'appuyais pas leur décision de déplacer

l'émission de sa case horaire de début de soirée à celle de milieu de soirée, soit de 21 h 30 à 22 h 30. De
cette façon, la direction entendait contrer le succès
du talk-show de Télé-Métropole. Pour ma part, je ne
croyais pas que nous arriverions à le faire. Effectivement, cette décision nous a amenés à notre déclin.
Pour tenter de sauver le bateau, on nous imposa
mille et un changements. Par exemple, je suis arrivé
un lundi matin, et le décor avait été transformé, de
sorte qu'on avait maintenant l'air d'une copie conforme de *Ad lib*. Je ne reproche rien à personne. On a
aussi voulu nous enlever l'ascenseur, mais, là, on s'est
battus. Entre-temps, Maurice, qui commençait à
s'imposer dans son rôle de majordome, a été victime
d'un grave accident, et nous avons perdu notre colo-
ré personnage.

Qui ne se souvient pas de cet accident, qui a touché la province en entier? Toute cette histoire s'est
aussi avérée pour moi une belle expérience de vie. Je
me suis engagé à fond pour aider Maurice. En même
temps, je l'ai probablement fait un peu égoïstement.
C'était comme si je redonnais à quelqu'un tout ce
que j'avais reçu et appris à ce jour. Après ce que
j'avais vécu, il me semblait que je devais redonner espoir à Maurice parce qu'on l'avait fait souvent pour
moi, et la vie s'était souvent chargée de me montrer
que j'avais eu raison d'espérer. En lui offrant tout
mon soutien, je me faisais une joie, un bonheur, un
cadeau, impossibles à mesurer. Quand je lui parlais
— il était hospitalisé à Des Moines, dans l'Iowa —, je
pouvais le comprendre mieux que quiconque. Le
jour où il m'a appris qu'on allait l'amputer d'une
jambe, je savais ce qu'il vivait. Quand il m'a confié
qu'il préférait voir la roue s'arrêter plutôt que de vivre l'amputation, je lui ai répété de continuer à se

battre: je me sentais... je me sentais... utile. Après la délicate intervention chirurgicale qu'il a subie, Maurice a dû quitter l'hôpital parce que la facture était devenue astronomique. Quand il a manifesté le désir de rentrer au Québec le plus rapidement possible, il n'était pas dans une condition qui lui permettait de revenir en voiture ou en ambulance. J'ai donc fait tout ce qui était en mon pouvoir pour l'aider à rentrer chez lui. "Mad Dog" avait représenté le pays aux Olympiques de 1948, où il avait remporté une médaille, et il méritait de recevoir une aide digne de sa performance. Grâce à la collaboration du gouvernement canadien, j'ai pu aller le chercher dans le jet privé de Pétro-Canada. La Croix bleue, par l'entremise de son président Claude Ferron, et la Maison Lucie-Bruneau, par l'entremise de Jacques-Gilles Laberge, m'ont été d'une aide précieuse dans l'accomplissement de ce projet, dont le déroulement était connu du public grâce à l'émission de télé. L'accueil que la presse et le public ont réservé à Maurice à sa descente d'avion lui a redonné espoir. Maurice est un grand sensible. Cet espoir retrouvé l'a soutenu tout au long de la plus importante lutte de sa vie, j'en suis sûr. Dire que, quelques mois plus tôt, il avait été touché par mon propre combat. Cette tragédie qui a frappé mon ami m'a profondément troublé, elle fait partie des hasards étranges de la vie.

En termes médiatiques, toute cette affaire a généré un grand intérêt de la part du public pour *Jasmin Centre-Ville*. Cependant, à la fin de la saison, la direction l'a retirée de l'horaire. On s'attendait à ce que, dès la première année, je batte mon compétiteur Jean-Pierre Coallier, à TVA, et on a jugé que l'émission ne donnait pas les résultats escomptés. Sans lancer la pierre à quiconque, je persiste à croire que, si nous avions gardé notre case horaire originale, *Jasmin Centre-Ville* serait encore là. La preuve: Sonia Benezra remplit ce créneau aujourd'hui, et de belle façon.

Au mois de mai, à la fin de l'émission, j'habitais toujours l'Île-des-Soeurs. Depuis peu, toutefois, j'avais emménagé dans un appartement que j'avais loué dans l'édifice où Michèle Richard possédait son condo. Cet appartement, j'y suis toujours. Il est encore une fois décoré avec les meubles — ceux qui ne m'avaient pas été subtilisés ou confisqués — que j'ai rapatriés à Montréal après avoir vendu ma maison de Québec. Je me plais beaucoup dans cet appartement. Je vois le fleuve et j'y retrouve la paix et un sentiment de liberté.

Durant l'été, je reçois un appel de Marlène Beaulieu, des Productions Coscient. Elle me propose d'animer *Jasmin en direct*, toujours à TQS. J'accepte parce que la formule me plaît beaucoup: durant une demi-heure, en après-midi, cinq jours par semaine et en direct, on aborde un sujet nouveau; je reçois un invité, et le public communique avec nous par téléphone. Cette saison se déroule bien, et, à la fin de celle-ci, Vincent Gabriele — avec qui les choses se sont raccommodées avec le temps — me propose une nouvelle formule. Cette fois, je coanimerais un magazine avec Claire Caron. L'émission diffusée en début d'après-midi serait conçue en collaboration avec le magazine *Coup de pouce*. C'est ainsi que je me retrouve à l'animation de *Coup de pouce télé*. J'aime beaucoup travailler avec Claire, une fille dynamique. Mais, très souvent, durant la saison, nous avons exercé des pressions auprès de la direction pour qu'elle change la case-horaire de l'émission. En effet, nous nous mesurions, jour après jour, aux populaires *Démons du midi*. On a refusé, et, en fin de saison, nous avons été convoqués au bureau de Vincent Gabriele pour nous faire dire que *Coup de pouce-télé* demeurait mais que les animateurs changeaient. Même si la formule n'avait jamais évolué selon nos désirs, ce fut un dur coup pour Claire et moi. Nous avons trouvé cela — jusqu'à un certain point — indécent, surtout que le producteur invoquait comme raison de notre remplacement qu'il n'était pas en mesure de nous payer le même cachet pour une émission présentée à une heure matinale et ce, sans nous demander si nous désirions renégocier nos cachets respectifs. C'est toutefois le genre de choses pour lesquelles on ne garde pas rancune dans le milieu, car nous connaissions le médium et la fragilité de nos emplois. En avril 1990, j'ai donc cessé de faire de la télévision sur une base régulière. À ce moment, j'avais renoué avec la radio depuis quelques semaines. J'animais une émission les samedis et dimanches après-midi sur les ondes de CKAC. J'ai poursuivi cet engagement, qui me plaisait beaucoup, jusqu'à ce que, encore une fois pour des raisons budgétaires, on invoque la fin de notre association. Je ne sais pas pourquoi on croit que mes services coûtent si cher. Je suis comme l'indice Dow Jones: capable de fluctuer selon le marché... Par exemple, je suis parfaitement conscient que, en tant que valeur commerciale sur le marché actuel de la télé, je ne commande pas monétairement ce qu'un Jean-Luc Mongrain ou une Sonia Benezra peut exiger. Pour moi, l'amour du métier et des studios passe bien avant le chèque.

Heureusement, au cours des dernières années — et encore aujourd'hui — Radio-Mutuel (CJMS à Montréal et CJRC dans l'Outaouais) m'a engagé à différentes reprises pour des contrats d'une durée de cinq, dix ou douze semaines, ce qui me permettait de renouer avec mon bon vieux complice, le micro.

Il n'en demeure pas moins que j'ai connu plusieurs périodes d'inactivité depuis le début de la nouvelle décennie. C'est ainsi que s'est présenté un nouvel adversaire dans ma vie. J'ai très rarement parlé de mes problèmes avec l'alcool mais, comme j'ai pu les vaincre, je ressens maintenant le besoin de partager mon expérience.

J'ai connu les béquilles canadiennes, les béquilles tout court et LA béquille: l'alcool. Je n'ai jamais pensé que j'aurais à vivre ce problème; c'est-à-dire à compenser ce que je ne faisais pas au travail par une fuite dans l'alcool. Encore pire, je ne l'ai jamais vu venir.

Jusqu'à l'été 1990, j'avais toujours fait de l'alcool un "usage social", sauf pour quelques bonnes cuites. Voilà que je consommais de l'alcool non seulement "un peu trop une fois de temps en temps", mais de façon régulière. Trop. Et considérablement. Quand j'ai commencé à en consommer, pas encore dangereusement mais d'une façon régulière, je savais qu'il y avait quelque chose d'inhabituel dans mon comportement. Un moment donné, on m'a demandé de co-animer pendant une heure le *Téléthon Jean Lapointe*. Dès qu'on m'a approché, j'ai prévenu l'équipe, plus particulièrement le directeur de plateau, Jean Savard, que je ne parlerais pas d'alcool. J'en consommais: je ne pouvais pas monter sur ce plateau et faire la leçon au public. Je n'aurais pas eu cette malhonnêteté. J'ai toujours tenté de converser face à face avec le public. Ce dont je pouvais parler, cependant, c'était de la médication, de la drogue, de la dépendance, et c'est ce que j'ai fait, tout en prenant bien soin d'être sobre à ce moment. Toutefois, cette situation m'a permis de réaliser tout de même que l'alcool était un problème grandissant dans ma vie.

Tout a commencé quand, tranquillement, j'ai pris l'habitude de prendre un apéritif vers 18 h. Sans que j'en sois conscient, après quelques mois, je prenais ce premier verre à 17 h. Puis je l'ai pris à 16 h, à 15 h... Auparavant, je n'avais jamais instauré de *cocktail hour* dans ma vie. Peut-être m'était-il arrivé de prendre du vin sur le bateau quelques soirs d'affilée après avoir accosté ou en mangeant, mais c'est tout. Ainsi, de verre en verre, à huit ou neuf heures le soir, j'avais perdu tous mes moyens. Le problème a évidemment fait fuir des gens de mon entourage. Autant en amitié qu'en amour: on était malheureux de me voir dans cet état. Toutefois, je concède d'emblée que ce n'était pas à eux de comprendre pourquoi j'en étais rendu à ce point, et ils n'étaient surtout pas obligés d'en subir les conséquences. Ils espaçaient donc, et avec raison, les invitations à manger ou à sortir. Ils savaient trop bien que j'allais prendre un coup et que, plus tôt que tard, ils allaient devoir me reconduire chez moi ou endurer mes excès de toutes sortes. On m'a même mis dans des taxis en disant au chauffeur où j'habitais; une fois rendu à destination, le chauffeur devait me monter chez moi. Il est aussi arrivé des moments où le portier de l'édifice où j'habitais a dû faire de même. Où était ma dignité? Ça n'avait plus d'importance. Toutes les restrictions que je m'imposais lorsque j'étais sobre disparaissaient. Je n'avais plus d'inhibition. Mon entourage s'est transformé peu à peu, et je me suis retrouvé, à certains moments, dans des endroits où je n'aurais jamais osé mettre les pieds auparavant. Des endroits où je risquais ma vie. J'ai passé plusieurs jours dans certains hôtels de la ville, et j'ai souvent fait des chutes remarquables à cause de mon état, mais j'ai eu la chance de ne pas me blesser.

Depuis mes premières années dans le métier, j'avais toujours travaillé, et on m'avait respecté. Maintenant que je n'avais plus d'emploi depuis un bon moment et que je ne connaissais plus le succès des premières années, je sentais qu'on m'évitait, et j'avais mal. C'est peut-être pourquoi je pouvais boire de deux à quatre bouteilles de vin par jour. Le vin m'apportait une certaine euphorie, et j'oubliais tout. Quand ce ne fut plus suffisant, j'y ai ajouté des bières importées, de six à douze bouteilles avant les repas, et la vodka pure en soirée et durant la nuit. Même si je ne voulais pas me l'avouer, je voyais la déchéance envahir ma vie. Jusqu'au jour où j'ai vraiment réalisé que j'avais un problème de plus en plus important. Il prenait même une ampleur démesurée dans ma vie. Je ne pouvais plus me contenter de ralentir ma consommation, il fallait que j'arrête définitivement. Je savais que j'en étais capable parce que, déjà, j'avais pu être catégorique le 23 janvier 1984, lorsque j'avais du jour au lendemain cessé de fumer mes quatre paquets de Gitanes par jour. Je me suis donc dit que je pouvais mettre un terme à ma consommation d'alcool de la même façon: radicalement.

J'étais en train de gâcher ma vie et de perdre un grand amour.

La décision s'est amorcée chez des amis, un samedi soir. Des gens que j'aime beaucoup mais qui m'évitaient, eux aussi. Toujours est-il que ce soir-là, Anthony m'a dit:

— Michel, tu sais, tu pars vite et tu ne t'en rends

pas compte. Et c'est pas agréable d'être avec toi quand tu prends de l'alcool. Si tu veux, quand je vais sentir qu'après trois ou quatre verres tu commences à déraper, je vais te donner un petit coup sous la table...

Ce n'était pas la première fois qu'Anthony me disait cela, parce qu'il y avait toujours une période, qui pouvait durer de trente à quarante-cinq minutes, où les autres ne se rendaient pas compte que j'avais perdu mes moyens, mais moi je le savais. Durant ces minutes, je pouvais boire plus d'une bouteille de vin, perdre complètement la carte et devenir intolérable le restant de la soirée. Je racontais quinze fois la même histoire, je riais pour rien, j'étais un moulin à paroles. Il m'arrivait aussi, parfois, d'avoir le vin triste. Dès lors, la première personne à mes côtés — des étrangers souvent — écopait de crises de larmes épouvantables, assorties d'envolées dramatiques. Ce soir-là, durant le repas, le scénario s'est répété malgré le petit avertissement d'Anthony. Ce fut la dernière fois. Le lendemain matin, en sirotant un café, il m'a dit:

— Pourquoi tu n'as pas arrêté de boire quand je t'ai donné un coup sous la table, hier soir?

Et là, je lui ai répondu:

— Tu ne m'as jamais donné de coup!

J'avais bien eu connaissance de son signal mais je jouais sur le fait que je n'avais aucune sensibilité dans mes jambes. Sa réaction n'a pas pris de temps à venir. Il m'a aussitôt rétorqué:

— Mais tu crois vraiment que je vais avaler ça! Tu peux prendre bien du monde pour des caves, mais, moi, je ne marche pas.

Assis sur le divan, dans le salon, ce dimanche matin, j'ai décidé de ne plus consommer d'alcool. Aucune hésitation. J'étais allé trop loin: c'était terminé. À partir de ce moment, je me suis senti comme un enfant qui venait de recevoir un cadeau. J'avais envie d'appeler tout le monde pour le leur dire. Même si je me sentais un peu ridicule de le faire, j'ai appelé quelques êtres chers pour leur annoncer la bonne nouvelle, dont Diane. Une distance s'était lentement installée entre nous, et ça me peinait énormément. Pourtant, avec amour, elle m'avait souvent répété:

— Mike *(comme je permets à elle seule de m'appeler)*, ralentis donc un peu.

Après cette importante décision, ce tournant de ma vie, je suis aussi allé voir un médecin, non pas que je croyais qu'il pouvait me guérir — car l'alcoolisme est une maladie — mais plutôt parce que ma plus grande crainte était justement d'être alcoolique. Quand je lui ai demandé s'il existait une façon pour savoir si j'étais alcoolique, il m'a répondu:

— Oui. Je sais qu'il existe un questionnaire et qu'à partir des réponses on peut arriver à une espèce d'analyse du comportement.

Quelques jours plus tard, j'ai répondu à ce questionnaire et aux questions du médecin, et il en est arrivé à la conclusion suivante:

— Non, je n'ai pas l'impression que vous êtes alcoolique, monsieur Jasmin.

Ça m'a rassuré, mais pas complètement. J'ai senti le besoin d'aller plus loin. J'ai donc demandé à ce médecin s'il voulait m'envoyer à l'un de ses confrères, qui était alcoolique. Je désirais rencontrer cette personne afin de lui poser les mêmes questions, et surtout pour aller encore plus loin. Je ne peux vraiment pas expliquer pourquoi j'avais cette hantise d'être alcoolique. On dirait que, dans mon subconscient, je ne voulais pas avoir aussi ce problème. Je me disais: "Je ne peux pas croire qu'en plus je suis alcoolique." J'ai donc rencontré, une quinzaine de jours plus tard, un médecin qui m'a confié être alcoolique. Il a pris une bonne demi-heure pour m'expliquer son vécu. En l'écoutant parler, j'ai réalisé que son attitude était loin de mes habitudes de vie. Mais je n'étais toujours pas rassuré, puisque je lui ai demandé s'il était possible que l'alcoolisme apparaisse chez quelqu'un après quarante ans. Il m'a affirmé que oui. Ensuite, il y est allé de ses propres questions et il n'a toléré aucune esquive. Il n'a pas permis que je me cache derrière quoi que ce soit. Il a été, dans son inquisition, d'une sévérité absolue. Il m'a donné ce que je voulais. Sans pouvoir l'affirmer hors de tout doute, il m'a dit qu'il ne me croyait pas alcoolique:

— À la lumière de ce que vous m'avez confié et de vos réactions quand vous avez décidé de devenir sobre — si ça, c'est vrai —, vous n'êtes probablement pas alcoolique. Toutefois, je peux vous dire que, d'après ce que vous m'avez raconté, vous étiez profondément alcoolisé lorsque vous avez pris la décision ferme d'arrêter de boire.

Et il ajouta:

— Si je peux me permettre cette petite blague, je vous dirai que, si vous étiez allé donner de votre sang à la Croix-Rouge à ce moment-là, probablement qu'on l'aurait utilisé pour désinfecter les instruments!

J'ai donc complètement cessé de consommer de l'alcool en 1992. Depuis, je n'y ai jamais retouché. Même pas un verre de vin. Jamais. Je souhaiterais même aujourd'hui que toutes ces personnes à qui j'ai laissé une mauvaise impression — qui m'ont peut-être fui à un certain moment — apprennent que ç'a été une situation qui a duré environ trois ans, mais qui est maintenant chose du passé. Je regrette de les avoir peut-être blessées ou gênées. J'ai mis seulement quelques semaines avant de voir combien cette consommation était inutile, même si j'ai réalisé par la suite que l'alcool endormait les douleurs qui me tenaillaient les jambes et le pied. Mais...

Aujourd'hui, j'ai toujours de l'alcool à la maison, et c'est avec plaisir que j'offre un verre à mes invités. Il m'arrive d'arrêter mon regard sur une bonne bouteille de vin, dont le bouquet me plaisait particulièrement, mais je me dis rapidement: "Non, je ne suis peut-être pas encore prêt à boire comme un adulte, alors je n'en prends tout simplement pas." Je bois tellement de Perrier qu'on s'amuse maintenant à raconter que je fais vivre la compagnie...

Après m'être repris en main, j'ai perdu trente-trois livres. D'abord, j'ai beaucoup dégonflé, j'avais un excédant d'une quinzaine de livres qui étaient dues à l'oedème et que j'avais accumulées en consommant de façon exagérée. J'ai aussi porté une attention particulière à mon alimentation. Après ce grand ménage, ça m'a fait un très grand bien d'entendre:

— Michel, tu as l'air si bien!

— Tès yeux ne sont plus les mêmes.

— Mais c'est la grande forme!

J'ai retiré une fierté de cette transformation. Le changement m'a d'ailleurs frappé moi-même lorsque j'ai vu l'émission *Surprise sur prise*, où je devais être complice pour jouer un tour pendable à Michèle Richard, mais le tour s'est finalement retourné contre moi. Je n'avais pas encore arrêté de consommer de l'alcool au moment où on avait tourné dans un restaurant pour les besoins du scénario. Par contre, lors de la présentation de l'émission et du segment d'entrevue avec Marcel Béliveau, des mois plus tard, j'étais abstinent. En regardant l'émission, j'ai pu voir que je n'étais pas du tout le même homme; l'évidence même, le jour et la nuit. J'avais retrouvé toutes mes facultés. Ce même soir, sur un autre réseau, je présentais un Métrostar à Patrice L'Écuyer. Après lui avoir remis le trophée, je m'étais reculé de deux ou trois pas. Sans le savoir, j'étais tout de même resté dans le champ de la caméra, et nombreux sont ceux qui m'ont dit après cette soirée de gala:

— Je ne t'avais jamais vu aussi resplendissant!

Je ne sais pas si je l'étais vraiment, mais une chose est sûre, je me sentais comme tel et je suis toujours aussi fier de l'être.

Il s'en passe des choses en vingt ans, et c'est incroyable les secrets qu'on accumule...

Chapitre 12

20 ANS PLUS TARD...

En cet hiver de 1992, je me suis fait le cadeau de passer quelques semaines sous le soleil de la Floride, où des engagements m'appelaient. Il n'y a pas que ma vie personnelle qui a bénéficié de ma décision d'arrêter de consommer de l'alcool: rapidement, j'ai retrouvé l'élan intérieur, et ça s'est reflété dans ma vie professionnelle. Je goûtais pleinement chaque moment du jour, comme si je venais de découvrir la vie. Le travail me plaisait, et je savourais les quelques heures que je pouvais passer sur les terrains de golf.

C'est pendant ce séjour que Claude Leclerc, vice-président à la gestion des magasines chez Trustar, m'a contacté pour la première fois. Par le biais du téléphone, il m'a fait part de son désir de me voir joindre l'équipe du magazine 7 JOURS. Par le passé, on m'avait proposé à plusieurs reprises de travailler dans le domaine de l'écrit, mais jamais je ne m'étais senti prêt pour une telle entreprise. Cette fois-là, je me suis arrêté sérieusement à l'offre. J'avais le goût du défi, et, de plus, l'ébauche de la proposition de Claude Leclerc me plaisait vraiment. Nous avons donc convenu de nous rencontrer à mon retour à Montréal.

Quelques semaines plus tard, j'ai retrouvé Claude au restaurant Witloof, rue Saint-Denis. Il m'a d'abord parlé de la façon de travailler chez Trustar, et du rapport que l'éditeur Claude J. Charron entretenait avec ses employés. Déjà, il suscitait mon intérêt, et, quand il m'a parlé de ce qu'il attendait de moi, la possibilité d'une collaboration m'a souri. On me proposait de faire des entrevues écrites, au rythme où j'avais envie de les faire et, surtout, de les réaliser avec des gens avec qui j'avais le goût d'échanger et avec qui je me sentais bien. Même si je ne connaissais pas le médium écrit, pratiquement, Claude Leclerc a mis au premier plan tout l'intérêt que j'avais pour l'entrevue, et j'ai accepté.

Ma première entrevue, je l'ai réalisée avec Janette Bertrand. Nous avons passé quelques heures ensemble, et tout s'est très bien déroulé. Est venu le moment d'écrire. Habituellement, un journaliste est plus fébrile au moment de l'entrevue que devant l'écran de son ordinateur; pour moi, c'était tout le contraire. Il m'a d'ailleurs fallu plus d'une semaine et des dizaines de tasses de café pour traduire cette première entrevue de l'oral à l'écrit. Devant l'ordinateur, j'ai traversé de longues heures d'angoisse. Je tiens absolument à ce que le lecteur entende la personne interviewée et ressente les émotions du moment en lisant l'entrevue. Heureusement, j'ai pu compter sur les conseils de bons amis pour y arriver. Aujourd'hui, j'ai encore de la difficulté à apprivoiser la longueur des textes commandés, mais, si mes premiers textes comptaient de quinze à vingt feuillets, je réussis maintenant tant bien que mal à respecter l'espace de quatre à six feuillets. C'est difficile de couper quand le propos est passionnant...

Depuis les deux dernières années, je n'ai jamais regretté ma décision. Depuis mes débuts à 7 JOURS, j'ai passé de magnifiques moments avec mes amis interviewés et, lorsque la télé reprendra sa place dans ma vie, je ne voudrai pas délaisser l'écrit. Je tiens à préciser que jamais en touchant au journalisme de publication je n'ai eu l'impression de retraiter. Je n'ai jamais reculé dans ma vie. D'abord, le métier d'artiste, je n'ai jamais voulu le faire pour être connu. Jamais. J'ai voulu exercer ce métier parce que c'était une passion profonde: celle de communiquer avec les gens. Je ne me suis jamais perçu comme une star. C'est précisément pour cela que je n'ai jamais refusé de signer un autographe ou de me faire photographier. Après chaque émission de télé que j'ai animée, j'ai toujours accédé aux demandes des gens. Je restais assis dans mon fauteuil, et le public venait discuter, échanger avec moi, pour mon grand plaisir. Je comprenais que, en raison de la fréquence à laquelle j'entrais dans le salon des gens, je faisais en quelque sorte partie de la famille. J'ai toujours préféré croire que les gens m'approchaient parce j'étais l'un des leurs, qu'ils ne voyaient pas souvent, plutôt qu'une célébrité, une étoile du star-système. Je ne veux pas non plus faire ce travail pour accumuler les millions; je veux simplement le faire parce que je l'aime. J'aurais pu abandonner après avoir connu la gloire, mais pourquoi? Je vis pour ce métier et je voudrais pouvoir le faire le plus longtemps possible. Je me souviens d'avoir entendu des camarades me dire, par exemple:

— Michel, quel courage de t'exiler à Québec pour faire de la télévision!

Alors que, pour moi, il n'était nullement question d'exil; je m'en allais faire ce que j'aimais le plus au monde: le métier d'interviewer. Dans ma tête, contrairement à ce que d'aucuns semblaient croire, je ne recommençais pas à zéro: je faisais mon métier autrement, ailleurs. Il en fut de même lorsque 7 JOURS et moi avons décidé de travailler ensemble. J'irais même jusqu'à dire que, par le biais de ma collaboration à 7 JOURS, j'ai vu d'un oeil nouveau ce qui me passionne tant: l'entrevue. Les longues rencontres que nous permet l'entrevue écrite — j'ai déjà passé jusqu'à six heures avec une invitée — comparativement à l'entrevue télévisée nous gratifient d'un échange unique et passionnant sur le vécu de chacun.

En repensant à cette période de mon existence, il me semble laisser l'impression que mon ciel s'est dégagé et que j'ai revu le soleil seulement depuis près deux ans. Or, il s'est passé un événement important qui a non seulement illuminé ma vie mais qui, surtout, lui a donné son sens véritable. J'ai bien réfléchi avant de prendre une décision entre le faux-fuyant et la franchise, et le seul choix admissible m'a semblé évident: j'ai opté pour la confidence. Je ne pouvais pas parler de bonheur, de mon bonheur, sans parler de ma rencontre avec Anthony.

Au cours des six dernières années, c'est probablement ma relation avec Anthony qui m'a permis de traverser les moments difficiles. Anthony est une personne très à l'écoute, très disponible. Non pas pour vivre à ma place les culbutes que mon métier et la vie publique imposent, mais pour être présent, près de moi, à côté de moi, avec moi. D'une façon innée, Anthony est de ces personnes qui, pour reprendre les mots de Janette Bertrand, sait que "dans une relation ou dans la vie, tout simplement, c'est tellement plus important de savoir écouter que de savoir parler". D'ailleurs, l'échange, l'écoute, quand il y a un problème qui nous assaille, nous amène fréquemment une vision différente des choses et souvent devient l'amorce d'une solution.

Anthony est arrivé dans ma vie à un moment marquant, alors que je me relevais péniblement de l'accident de Québec. D'origine anglophone, il ne connaissait absolument pas les personnalités artistiques québécoises lorsque nous nous sommes rencontrés. Veux, veux pas, qu'il ne me connaisse pas m'a infiniment rassuré. Si une relation s'est établie entre nous, c'est parce que je savais que ce n'était pas pour ce que je représentais mais bien pour ce que j'étais, pour ce qu'il voyait. Il y avait déjà quatre ans que j'avais renoncé à la vie à deux quand je l'ai rencontré. Sans être résigné, j'entrevoyais poursuivre ma vie entourée de mes amis, de ma famille. Cette rencontre fut donc, en tous points, valorisante. Juste de la façon dont il est entré dans ma vie pourrait faire l'objet d'un autre livre. Tellement c'est fabuleux. Tellement c'est extraordinaire. Finalement, qu'on ait trente-cinq, quarante ou cinquante-cinq ans, il ne faut jamais arrêter de croire que l'amour peut encore nous arriver. À n'importe quel moment. Même si on croit avoir fermé la porte, quelqu'un d'unique peut en trouver la clé.

Vivre une relation stable depuis six ans m'apporte également un équilibre indispensable. Cette relation est définitivement la plus longue de ma vie, et je ne vois pas le jour où elle va se terminer. Ce qui existe entre Anthony et moi vibre d'un sentiment profond. Partager notre quotidien, autant pour ce qui va bien que ce qui va mal, fait partie de nos vies. Surtout, nous possédons un respect illimité l'un de l'autre. Au fil des dernières années, j'ai découvert — peut-être sur le tard, comme on dit — que ce respect de l'autre est sans aucun doute l'un des ingrédients indispensables à l'amour entre deux personnes, de quelque nature que soit la relation. J'ai toujours refusé que la majorité définisse ce qu'est la normalité...

L'importance de ce respect, je l'ai pleinement réalisé quand j'ai vaincu mes problèmes d'alcool. Anthony ne m'a pas menacé:

— Tu arrêtes de boire ou je m'en vais...

Ça n'a jamais été cela. Plus tard, quand nous en avons reparlé, il m'a même confié:

— Si tu n'avais pas arrêté de boire, j'aurais baissé les bras et j'aurais abandonné. J'aurais laissé aller notre relation dans le sens où la situation l'aurait conduite.

Je n'ai jamais senti d'agressivité de sa part. Cependant, il me sensibilisait. Il me disait:

— Hier soir, tu as fait du tort à ta santé...

Ou ce qui me touchait encore plus:

— Il y a peut-être de tes amis qui ont une moins belle image de toi maintenant parce que tu as pris quelques verres de trop...

Cette étape de vie nous a beaucoup rapprochés. Elle a confirmé notre attachement mutuel, non pas possessif mais noble, sain et profond. Ni l'un, ni l'autre ne s'imposent de sacrifices pour que la vie à deux se porte bien. Nous vivons chacun à notre rythme et nous respectons celui de l'autre. Cette énergie dans ma vie est omniprésente et indispensable.

Au même moment où j'ai rencontré Anthony, je recommençais à connaître des ennuis financiers de taille. Ayant fini de payer ma faillite le 30 novembre 1986 et ayant été victime de l'accident dans l'escalier le 16 janvier 1987, je n'avais même pas eu deux mois pour me remettre sur pied financièrement. Quand j'ai à nouveau traversé une période en institution afin de sauver ma jambe, ma dernière préoccupation était bien de rédiger mes déclarations fiscales. De toutes manières, mes revenus étaient plutôt minces. Si bien que, au début de 1990, les gouvernements ont ressorti mon dossier et se sont de nouveau rabattus sur moi par le moyen de cotisations arbitraires, entre autres. J'ai écrit à trois reprises aux ministres du revenu des deux paliers de gouvernement, messieurs Raymond Savoie et Otto Jelinek, respectivement ministre au provincial et au fédéral, j'ai demandé aux hauts fonctionnaires de collaborer avec moi pour diminuer les intérêts et les pénalités parce que je tenais à trouver un terrain d'entente et plus que tout, à payer mes impôts. Ce fut l'échec total. Ils exigeaient maintenant trois fois les montants d'impôts que je devais, pour m'éviter les détails encore une fois pénibles, inutiles et surtout disgracieux de leur part; j'ai, après six mois d'hésitation, fait face à la seule possibilité: faire à nouveau session de mes biens. Ça s'est passé le 10 juin 1993.

Je pouvais à peine y croire: une deuxième faillite; même si tout avait été tenté et que les firmes d'avocats Boivin-Deschamps et MSA, représentées par maîtres Pierre Boivin et Jean-Guy Papineau, avaient exploré avec moi, et sans frais, les possibilités de règlements. Eux-mêmes ont rencontré bien inutilement les représentants des gouvernements. La nuit du 9 au 10 juin, je revivais les mêmes angoisses qu'en 1982 et je ressentais un profond malaise de devoir prendre une deuxième fois ce chemin. Parce que mon éducation m'a toujours appris à faire face à mes responsabilités, j'avais beaucoup de difficulté à vivre dans cette situation. De plus, je ne pouvais m'enlever de la tête cette phrase qui apparaît dans la décision du juge Benjamin Greenberg en 1984:

— Si les fonctionnaires avaient fait preuve le moindrement de compréhension dans le dossier de monsieur Jasmin, probablement qu'aujourd'hui on ne se retrouverait pas dans cette cour.

Voilà que l'histoire se répète. Dire que, peu de temps après avoir signé les documents en juin, le nouveau ministre du revenu Canadien sous le régime de Kim Campbell, Hugh Turner, a fait une annonce à l'effet que tous les Canadiens qui avaient du retard dans le paiement de leurs impôts et qui faisaient face à des pénalités allaient pouvoir profiter d'une amnistie. Mais il était trop tard pour moi, m'a-t-on dit.

Ainsi, après la session de biens, le 10 juin 1993, une assemblée des créanciers a été convoquée chez le syndic. Ils étaient trois: le gouvernement fédéral, le gouvernement provincial et une banque avec laquelle j'ai fait affaire dans ma désastreuse aventure TéléMatique en 1988; loin de faire fortune, j'y avais laissé ma chemise. Au cours de cette assemblée, seul le ministère du revenu fédéral était représenté par deux fonctionnaires.

Je préfère ne pas élaborer sur cette rencontre au cours de laquelle je me suis encore une fois senti agressé et menacé.

Aujourd'hui — je le dis bien haut — je suis prêt à ouvrir tout grand mon dossier à quiconque est prêt à fouiller, à aller plus loin, à poser des questions, à savoir pourquoi on s'acharne ainsi sur des citoyens. Assez, c'est assez. Quand je raconte ces faits, je ne veux pas faire image de martyr parce que je sais que je ne suis pas le seul à vivre une pareille situation aux mains des fonctionnaires. Quand j'ai déclaré faillite en juin 1993, il y avait plus de 6 300 autres Canadiens qui vivaient la même chose, ce même mois. Quelque part, il y a vraisemblablement un malaise. L'évidence est d'autant plus indéniable quand un ministre du revenu te confie, comme on me l'a déjà fait:

— Je n'y peux rien, Michel. Tu es bien naïf de croire qu'on y peut quelque chose: les fonctionnaires décident, nous, on parade...

À ce moment de ma vie, Anthony demeure indispensable. Je ne l'embête pas pendant des heures à lui raconter tout ça, mais son soutien vaut plus que tout. D'ailleurs, au moment même où j'écris ces lignes, encore bien des choses changent dans ma perception de ces récents événements. Actuellement, je passe plusieurs heures par jour au chevet de mon père. Il souffre beaucoup, et ma mère, demeurée seule dans la maison des Laurentides, souffre déjà beaucoup de son absence. Finalement, face à ces tournants de la vraie vie, qu'est-ce qu'une cession de biens? Sans prendre cet événement à la légère, il y a quelques jours, appuyé sur les barres métalliques du lit de papa, j'en suis venu à penser qu'une faillite n'était que du papier. Du papier. Papa dormait, sous l'effet d'une dose massive de médicaments. Je regardais ses traits, je le regardais respirer, je regardais ses cheveux et je réalisais à quel point tout ce que je vis à cause de cette faillite n'a que peu d'importance.

Je regardais papa, qui a quatre-vingts ans. Je regardais chacune des rides dans sa figure et je les admirais. Chacune d'elles est une période de sa vie, un moment important de son existence. Il y a même une partie de moi, de chacune de mes soeurs, de ma mère, dans ces rides. C'est tout l'amour qu'il nous a donné au cours de sa vie. Je regardais ses mains qui, même si elles sont enflées, traduisaient le travailleur acharné: un homme qui s'est toujours fait un devoir d'offrir aux siens l'essentiel, le meilleur. Il ne m'est jamais venu à l'esprit auparavant de passer ma main dans les cheveux de mon père. Depuis qu'il est hospitalisé, je l'ai fait des dizaines de fois. L'autre jour, il souriait quand je lui disais:

— Mais tu as les cheveux fins. Je ne l'avais jamais réalisé. Je sais maintenant pourquoi j'ai les cheveux aussi fins...

Je ne suis pas que sa descendance, et il n'est pas que mon géniteur; nous sommes beaucoup plus l'un pour l'autre. En terminant ce chapitre, le dernier du livre, je retourne le voir. Parce que je tiens à être près de lui. Parce que je sais que je ne l'ai pas été assez souvent. Pour la première fois, il y a trois semaines, j'ai dit à mon père, avec des mots:

— Je t'aime, papa.

Il avait alors des moments de lucidité et il a ouvert les yeux — je n'avais jamais remarqué qu'ils étaient si petits et si bleus — et il m'a dit:

— Moi aussi, je t'aime, Michel.

Pourquoi avoir attendu quarante-huit ans avant de se dire ces choses? J'ai aussi repensé aux nombreux raccourcis pour éviter le vrai, le clair, le beau: "Je t'aime, maman." Pourquoi?

Étrangement, je déplore les silences entre mon père et moi, au moment où j'écris les dernières lignes d'un récit. Au cours de cette écriture, j'ai bien souvent pensé au père que je suis. Durant ces derniers mois, chaque jour où j'ai repris la route pour l'Île-des-Soeurs, après les séances de travail chez Benoit Léger, mon complice dans la rédaction de cet ouvrage, j'y ai pensé. Chaque fois que je fermais les yeux sur une journée où j'avais revécu les étapes charnières de mon existence, je pensais: "Et s'il avait été là?

Lui que je ne connais pas." Comme aux premiers jours, j'ai revu chaque moment en pensant à la place qu'il aurait pu y occuper.

J'ai, encore une fois, beaucoup hésité avant de parler de cette circonstance de ma vie. Je me suis d'abord demandé à quoi cela pouvait servir de s'ouvrir de la sorte, et je n'ai pas trouvé d'autres réponses que de le faire pour servir la vérité pure et simple. Les gens, le public en général — qui font partie de ma vie comme j'ai souvent l'impression de faire partie de la leur —, sont des personnes intelligentes aimant la vérité. Pour cette raison, j'ai choisi d'y aller sans détour. À la lumière de ce que je vis actuellement avec mon père, j'ai compris que c'était une sage décision. Au risque de me tromper, il me semble que ça sert à quelque chose de le raconter, à quelqu'un, quelque part. C'est probablement mon plus grand secret: un jour, dans ma vie, j'ai eu un fils.

De dix-neuf à vingt et un ans, dans mon village natal, j'ai fréquenté une fille, qui s'appelait Nicole. Nous allions au cinéma, nous passions des soirées à écouter Jean Ferrat, et elle était, au fil du temps, devenue beaucoup plus qu'une amie. Un soir, dans la nature, à l'occasion d'une sortie de fin de semaine avec la gang, ce qui devait arriver arriva. Peu de temps après cette intimité, elle décida de quitter le pays pour l'étranger. Me disant réaliser l'un de ses grands rêves, elle allait apporter son aide aux plus démunis dans un pays d'Afrique. Durant les mois qui ont suivi son départ, nous avons échangé une correspondance soutenue. Nous nous écrivions toutes les semaines puis, assez rapidement, les lettres de sa part se firent plus rares. Je me souviens que l'une de ses dernières lettres disait: "Si je ne t'écris presque plus, Michel, c'est que le facteur qui livre le

courrier dans notre communauté ouvre toutes les
lettres et récupère ce qui lui plaît. Je ne peux tolérer
de voir les quelques lettres qui me parviennent être
ouvertes et celles que je t'envoie en quelque sorte
violées..." Je n'ai plus jamais eu de nouvelles de Nicole.

C'est le frère de Nicole, un ami d'enfance, qui
m'a appris la naissance de l'enfant. J'étais désemparé. Je ressentais à la fois un profond tourment et une
fierté. Mais j'ai rapidement dû refouler ces senti-
ments quand j'ai pris connaissance de tout le secret
entourant la "bonne nouvelle". Quelques jours plus
tard, la mère de Nicole m'a donné un coup de téléphone et a demandé à me rencontrer. Assise, bien
droite sur une chaise de cuisine, elle m'a confirmé
que j'étais le père de l'enfant. Sans véritablement me
ménager, d'une façon assez directe, elle était allée
droit au but en ajoutant:

— Mais il te faut accepter que Nicole a maintenant un autre homme dans sa vie...

Dois-je dire que le coup fut très difficile à encaisser. J'ai mis bien du temps à m'en remettre pour ensuite en faire mon grand secret. À deux ou trois personnes près.

Durant un moment, jusqu'à ce que je perde aussi
sa trace, j'ai eu des nouvelles par le biais du frère de
Nicole. J'en ai aussi eu par l'une de ses tantes, qui
habitait le même quartier, mais, quand cette dernière
est décédée, je n'ai jamais plus entendu parler de
l'enfant ni de la famille. La vie a fait que Nicole a
épousé un autre homme à l'extérieur du pays et
qu'elle a aussi eu cet enfant loin d'ici. Je sais qu'elle a
eu d'autres enfants, trois, quatre peut-être. J'ai aussi
su qu'elle et sa nouvelle famille sont demeurées près
de trois ans en Afrique. À leur retour, ils ont vécu à

Québec puis dans une autre ville de la province. Quelquefois, poussé par mon seul désir d'apercevoir mon petit garçon, je suis passé en voiture devant la maison qu'ils ont habitée temporairement dans la région de Montréal, avant de s'installer, je ne sais où, dans la Vieille Capitale. En fixant mon regard sur une fenêtre ou sur la cour arrière, j'ai espéré en silence. Ce furent les seules fois où j'ai posé des gestes concrets pour voir Yannik ou Philippe; je ne le sais même pas. J'ignore pourquoi mais j'ai toujours aimé croire qu'il s'appelait ainsi.

Si j'ai préféré brouiller un peu les pistes en racontant cette histoire, c'est que, jusqu'à maintenant, il aurait été facile pour Nicole de me retracer, si elle l'avait vraiment voulu. Si, depuis juin 1966, elle ne s'est pas manifestée, c'est qu'elle a décidé de garder son secret. J'aurais pu entreprendre des recherches afin de le retrouver, mais j'ai toujours pensé qu'il valait mieux éviter de bouleverser sa cellule familiale. Sauf que, un jour, j'aimerais savoir qui il est. Quand je me l'imagine aujourd'hui, je le vois beau et grand. À vingt-huit ans, ou presque, il est sûrement un jeune professionnel et il a bien entendu beaucoup de succès dans sa carrière.

Avoir un enfant et ne pas le connaître, c'est terrible. Je comprends très bien les gens qui ont dû donner leur enfant un jour et qui cherchent à le revoir maintenant. Je comprends. Cependant, jamais la joie de retrouver un enfant ou l'égoïsme qui nous mène à sa recherche ne justifieront l'éclatement d'une famille, à mon avis. Toutefois, même si de nombreuses peurs sont associées au désir de le retrouver devant moi un jour, je suis certain que ces peurs seraient étouffées par la joie de le connaître. Bien sûr, aujourd'hui, ce n'est plus la décision de sa mère que je peux espérer, mais bien celle de Yannik, Philippe...

On dit souvent: il ne faut pas avoir de regrets. Je n'y crois pas. Ne pas avoir de remords, peut-être. Pas de regrets, impossible. En m'ouvrant les intérieurs, je suis obligé d'admettre que, mon plus grand regret, c'est lui, c'est de ne pas le connaître. Je ne dis pas que c'est mon seul regret: c'est mon plus grand. Je pourrais dire que je regrette d'avoir laissé conduire Kevin le soir où nous avons eu l'accident, mais ce serait un regret bien inutile. Un regret qui démolit. Toutefois, cette naissance à laquelle je n'ai jamais pu répondre, face à laquelle je me suis toujours posé des questions sans réponses, peut s'appeler mon grand regret. D'avoir des regrets dans sa vie, si minimes soient-ils, ça nous permet aussi d'avoir toujours un espoir allumé quelque part en nous. Un regret peut être admirable s'il est accompagné de cet espoir. Ne serait-ce que de garder vibrante cette attente fait de moi l'homme le plus riche. Riche d'espoir.

Cet espoir qui trouve sa source dans la même énergie qui m'a accompagné toute ma vie.

Épilogue

Au cours des vingt dernières années, à plusieurs reprises, on m'a suggéré d'écrire un livre. J'ai même signé des contrats avec des maisons d'édition. Toutefois, je demandais toujours d'inclure une clause dans ces contrats stipulant que je pouvais commencer l'écriture quand bon me semblerait. Or, chaque fois, j'avais l'impression de ne pas avoir assez vécu pour partager, pour échanger. J'avais surtout le sentiment de ne pas avoir tout assimilé. Ainsi, les différents projets ne se sont jamais concrétisés.

Au début de 1993, quand les Éditions 7 Jours m'ont proposé l'écriture d'un livre, j'ai revécu les mêmes hésitations mais, cette fois, je les ai surmontées. De plus, je me sentais en confiance avec cette équipe que je connaissais bien et je savais qu'on allait respecter ma condition première: je ne voulais pas, et ne veux toujours pas, que ce livre ait des allures misérabilistes. Je l'ai écrit pour que chaque personne qui le parcourt aille y puiser un peu d'espoir; si mon vécu, dont je réalise peut-être davantage l'originalité à la fin de cet ouvrage, a ainsi été marqué par le destin, il ne l'aura pas été inutilement. Je ressens donc une espèce de responsabilité de transmettre ce que la vie m'a appris, toutes ces petites notes d'espoir placées sur la portée de ma vie.

Un autre aspect important de ma vie m'a aussi amené à l'écriture de ce livre. Quand je vivais des problèmes d'alcool, très souvent, on m'approchait pour donner des conférences. Je refusais toujours et ce, pour une raison qui peut paraître anodine mais qui me semblait des plus valables: souvent, ces soirées étaient précédées d'un repas arrosé de vin, et je ne me voyais pas, après avoir pris un verre, de trop, animer un colloque ou une conférence. Maintenant que j'ai une meilleure maîtrise de ma vie, je me sens beaucoup plus fort et apte à partager avec vous. À différentes occasions au cours des deux dernières années, j'ai donc accepté ces invitations; après m'être ouvert ainsi, j'ai toujours ressenti un grand bien-être. Je n'ai plus peur de ces rencontres avec des jeunes ou avec des adultes, et j'y prends maintenant plaisir. On profite tous du vécu de quelqu'un. Parce que j'ai compris beaucoup de choses au fil du temps, je suis à ce stade de ma vie où j'ai le goût d'écouter beaucoup et aussi le goût de partager beaucoup. Cet objectif, je l'ai conservé tout au long de l'écriture. Si j'ai accepté de me confier de la sorte, ce n'était nullement pour attirer la pitié. Chaque événement de ma vie a été positivement important. De la même façon que vous refermerez ce livre, moi je le complète, et je veux ressentir la même fierté que lorsque j'en ai écrit le premier mot.

Cependant, encore ces derniers jours, la vie m'a fait prendre un autre tournant. Après huit années d'un combat presque quotidien contre la maladie, mon père est décédé. Tout juste avant d'aller sous presse, j'ai voulu ajouter ces quelques lignes. Au moment où je le fais, il n'y a pas encore vingt-quatre heures que nous l'avons accompagné à son dernier repos. Encore une fois, un événement me prouve qu'une douleur peut faire autre chose que détruire. Ma mère, mes trois soeurs et moi avons voulu que cette cérémonie soit intime, simple et empreinte de sobriété, tout à fait à l'image de ce que mon père a toujours été.

L'abbé Roland Leclerc, que mon père aimait et respectait beaucoup, a accepté de célébrer la cérémonie liturgique, et mon amie Chantal Pary, pour qui mon père avait aussi une grande admiration — à la fois pour son talent et pour sa façon de vivre sa foi — a acquiescé à ma demande sans aucune hésitation. Elle a chanté pour nous, mais principalement pour lui, trois prières à la fois touchantes et inspirantes. Un autre ami de longue date, le chef d'orchestre Luc Caron a accepté d'accompagner Chantal à l'orgue. Ces personnes, sans oublier celles qui assistaient à la cérémonie, m'ont fait prendre conscience une fois de plus à quel point il ne faut jamais cesser de faire confiance à la nature humaine, il ne faut jamais arrêter de croire en l'amitié.

En clôturant la célébration, j'ai tenu à dire à mes parents et à mes amis que j'avais demandé à mon père de me léguer son plus bel héritage: sa bonté, sa ténacité et son courage. Je me permettrai maintenant de partager toute cette richesse avec les gens qui l'aimaient ainsi qu'avec toutes les personnes qui me sont chères.

Certes, je ne peux ignorer la tristesse que me cause une telle perte, mais je réalise que je peux désormais lui parler à tout moment en sachant qu'il fait plus que jamais partie de moi.

Quant à l'accident de 1973, bien sûr, vingt ans plus tard, il m'arrive souvent d'y repenser. Il m'arrive d'aller me stationner dans l'espace aménagé à côté de l'église tout près de la maison de Saint-Basile. Je peux y passer deux minutes ou une heure et demie à regarder cette maison, qui n'a pas changé depuis toutes ces années. Ça veut dire beaucoup parce que j'habitais là au moment de l'accident. Même si je pense parfois aux bottes western que j'aimais tant porter à cette époque ou que je cherche à retrouver des films où je marche sans béquilles, sans canne, sans bottes de fibre de ferre — surtout depuis que j'ai écrit le premier chapitre de ce livre —, j'en suis venu à croire que tout ça devait arriver. Mon destin était là, à cette date-là, à cette heure-là, de cette façon-là. Je pense que, sans être fataliste, je ne pouvais pas passer à côté. Ça peut paraître gros ce que je vais dire, mais, si l'accident de voiture n'était pas arrivé, je pense que je me serais certainement suicidé. En fait, l'extrémisme dans lequel je vivais mes vingt ans m'aurait amené au suicide. Je prenais la pleine liberté de faire ce que je voulais, même si j'avais un travail. Je prenais la pleine liberté de m'acheter ce que je voulais, même si je ne pouvais pas vraiment me le permettre. Qu'est-ce que j'allais trouver de plus pour me satisfaire? Et surtout, que faire quand on ne trouve plus rien pour se satisfaire? Jamais on ne m'avait dit: "Ce n'est pas comme ça qu'on vit, jeune homme!" Je courais inévitablement à ma perte. L'accident est venu tourner une page qu'il fallait que je tourne. Quant à la suite, elle a fait de moi l'homme que je suis aujourd'hui.

On m'a souvent dit:
— Mon Dieu que vous avez du courage!
Je ne pense pas avoir de courage. J'ai de la ténacité, oui, mais j'ai surtout de l'inconscience. Je me surprends souvent à souhaiter que chacun de nous ait

cette même inconscience quand on se trouve devant une épreuve. Il ne faut pas penser à l'état des choses dans une semaine, dans trois mois, dans un an. Pensons seulement à aujourd'hui. C'est déjà beaucoup. Ayons l'inconscience du lendemain. Si j'avais su d'avance tout ce que j'aurais eu à faire pour remonter la pente à ces différents moments de mon existence, je ne crois pas que je l'aurais fait. C'est parce que j'ai eu cette ignorance du lendemain que je suis ici aujourd'hui. Plus qu'une confiance en la vie, c'est une confiance en la journée qu'on vit, une confiance dans le petit bout de chemin qui sera fait aujourd'hui, si petit soit-il. C'est à cela qu'il faut s'accrocher. C'est ainsi que j'ai vécu et que je vis encore. Il se présente toujours dans la vie de petits ou de grands moments qui deviennent du carburant pour avancer.

Pourquoi se dire "Comment vais-je me sortir de ce revers amoureux? Il n'y a plus personne qui va m'aimer"? Pourquoi se dire "Comment vais-je me sortir de cette catastrophe financière? Je suis fini, un zéro"? Vivons aujourd'hui, demain sera demain. Bien sûr, il ne faut pas voir l'inconscience dans le sens d'une fuite. L'avenir, il faut l'envisager, mais il ne faut pas s'y rendre avant d'avoir vécu son présent. Par exemple, en pensant à cette nouvelle faillite, je vis avec la plus grande conscience sociale possible, la plus grande honnêteté possible, puis je me dis: "Demain, on verra bien." La libération sera-t-elle dans un mois, dans cinq mois? Je ne sais pas. Cette attitude, c'est, pour moi, une bonne inconscience.

Il y a environ cinq ans, à TVA, sur le plateau de l'émission *Journal intime*, animée par Gaston L'heureux, j'ai vécu un autre moment fort où cette inconscience, qui a marqué mes combats pour marcher, s'est traduite par des mots. On y avait invité le docteur Potvin, de l'hôpital Charles-Lemoyne. Lorsque Gaston lui a demandé:

— Est-ce vrai que la médecine avait condamné Michel?

Le docteur Potvin a répondu:

— Oui, Michel ne devait plus marcher. On s'est trompés, et c'est tant mieux. Si nous l'avions alors condamné, c'est que toutes les notions de médecine le confirmaient. Encore aujourd'hui, on ne s'explique pas comment il peut marcher.

J'ai été très touché par cette marque d'humilité, qui voulait dire beaucoup pour moi. Parce que, du plus profond de moi-même, il m'est arrivé de détester le corps médical. Je pense aussi à l'urologue de l'Institut de réadaptation qui m'avait dit:

— Oublie tout ce qui s'appelle fonction normale de la ceinture en descendant...

Pourtant, encore là, le contraire s'est prouvé. Depuis, sans vouloir discréditer la médecine — je le répète —, j'ai compris qu'il ne faut jamais, au grand jamais, s'en remettre totalement et aveuglément au verdict de quelqu'un d'autre. J'en suis convaincu.

Personne, jamais, ne décide à notre place. Les décisions sont toujours les nôtres. On décide d'abandonner ou de vaincre. Moi, j'ai décidé de vaincre. À quoi ça sert de s'attarder au "Pourquoi moi? Qu'est-ce que j'ai fait pour mériter ça?" Il n'y a aucune épreuve qui soit au-dessus de nos forces.

On n'arrête pas les vagues. Elles frappent, caressent, tourbillonnent et s'estompent dans l'océan de notre vie en laissant derrière la trace de ce qu'il y a de plus grand: la force de la nature... Humaine.

Table des matières

AGMV Marquis

MEMBRE DE SCABRINI MEDIA

Québec, Canada
2001